身近な科学が
人に教えられるほど
よくわかる本

「朝起きてから、寝るまで」のサイエンス

左巻健男　編著

はじめに

本書は、次のような人たちに向けて書きました。

> ● 科学は苦手でも、興味はある。
>
> ● 身の回りで起こる自然現象や、よく出合う物事、よく使う
> 　製品の原理やしくみを、やさしく、わかりやすく知りたい！
>
> ● 図解も合わせて、知って納得したい！

　私たちが朝、起きてから夜、眠るまでの生活は、科学・技術の恩恵により、とても便利で快適になっている面があります。しかし、「内部がどうなっているのか」「しくみはどうなっているのか」は、わからないままに、つまりブラックボックスの状態で使っている場合がほとんどです。

　そう、ブラックボックス化している物事の原理やしくみは、知らなくても生きていけます。多くの製品はスイッチの「オン」と「オフ」さえできれば使えてしまうのです。

　それでも、ほんの少し立ち止まって、「これはどういう原理やしくみなんだろう？」と興味や関心、好奇心をもてたら、生

活がもっと楽しくなり、もっと生きがいももてるようにならないでしょうか。

　実は、私たちが何気なく過ごしている毎日の中には、どこにでも「科学」が隠れています。科学が隠れているのは、科学・技術の恩恵である便利な製品の中だけではありません。

　私たちが「生きている」という事実の中にも、歩くなどのさまざまな行動の中にも、出合う自然現象の中にも、科学は隠れています。

　意識して「科学の目」で眺めてみると、私たちが朝、起きてから夜、眠るまでの生活は、多種多様な科学で支えられていることがわかります。

　本書は、そんな身近な科学をわかりやすく解説したいと思いました。

　まずテーマをあげたら、軽く100を超えてしまいました。そこから53のテーマを選びました。執筆メンバーは、それらを「できるだけやさしくわかりやすく、文章と図解を半々で説明する」ということにチャレンジしました。

　編著者の左巻健男は、雑誌『RikaTan（理科の探検）』の編集長を務めています。執筆メンバーは、RikaTan誌委員有志の皆さんで、私を含め、中学校理科教員、高等学校理科教員、

科学系の大学教員、物理学の研究者、地球科学系翻訳家、科学・IT系フリーライターといったさまざまな立場の14人です（p.238参照）。

　RikaTan誌委員は、科学コミュニケーションの活動として、「観る・知る・遊ぶ　サイエンス！」をキャッチフレーズにした、大人の理科（科学）好き対象の雑誌を企画・編集してきました。本書もまた「科学をやさしくわかりやすく伝えよう！」という志をもった科学コミュニケーションの活動の一環です。

　執筆メンバーは、メーリングリストで意見を交換しながら、本書をつくり上げてきました。より正しく、よりわかりやすく、読んでくださる皆さんが「読んでよかった！」と思ってくださるように、努力したつもりです。その努力が実り、皆さんに1つでもたくさんの「なるほど！」が届くことを願っています。

　最後になりましたが、素敵なイラストを描いてくださった伊藤ハムスターさん、大勢の執筆者との個々の対応も快くこなして、本書を完成に導いてくださったSBクリエイティブ株式会社ビジュアル書籍編集部の石井顕一さんに厚くお礼を申し上げます。

2020年11月　編著者　左巻健男

C O N T E N T S

第1章

朝から昼に出合う
「科学」

Q-01 なぜ家の中でも「電波時計」は正確に時刻を告げるのか?

起きてすぐ時計を見る人は多いかもしれません。電波時計はいつも正確な時刻を告げてくれます。1日に1回から数回、基準になる電波を受けて時刻を正確に受信しているからです。「なぜ室内でも正確なのか」考えてみましょう。

◉ 基準となる電波を定期的に受信

標準電波(電波時計の基準になる電波)は、2つの送信所から出されています。1999年に「おおたかどや山標準電波送信所(40kHz)」(福島県)から送信が開始されました。続いて、バックアップと西日本への安定供給を目的に「はがね山標準電波送信所(60kHz)」(佐賀県)が、2001年から送信を開始しました。

40kHzと60kHzに周波数を変えてあるのは、同じ周波数だと互いに干渉し、誤動作するおそれがあるからです。電波時計は、この2カ所からの電波を、1日に1回から数回受信して時刻を合わせているのです。

標準電波は、誤差が「1億年に1秒程度」という正確な**セシウム原子時計**をもとに発信しています。発信された電波には、時、分、日、年(西暦下2桁)、曜日、うるう秒情報などが信号として含まれています。電波時計は、内蔵されているアンテナでこの電波を受信し、時刻情報へ変換します。その時刻情報をもとに時計の時刻やカレンダーが修正されるので正確なのです。

◉ 波長が長い長波なので遠くまで届く

電波時計が使っている周波数(40kHz、60kHz)は、**長波(LF:Low Frequency)** と呼ばれている電波です。長波は30〜300kHzの周波数で、波長は1〜10kmです。一般に「キロメートル波」とも呼

図1 2カ所の送信所

約1000km先まで届く

福島県：
おおたかどや山標準電波送信所

佐賀県：
はがね山標準電波送信所

日本全土をカバーして
大きな山も超えられる

使っている電波は長波

1カ所でもほぼ日本全土をカバーできるが、2001年に佐賀県の「はがね山標準電波送信所」ができたので、より広範囲をカバーできるようになった

図2 障害物を超えていく長波

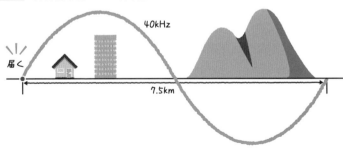

40kHz

届く

7.5km

波長が長い長波は、ビルをなんなく超えていく

ばれています。長波はAMラジオで使われている中波（300kHz～3MHz）より波長が長い電波です。波長が長ければ、建物や山などの障害物があっても電波を届けられるのです。ただし、鉄筋のビルの中などは受信しにくく、また、スマホや電化製品、パソコンなどが近くにあっても受信しにくくなることがあります。

　しかし電波時計は、万が一電波をとらえられなくても、1カ月の誤差が20～30秒程度のクォーツ時計として動きます。クォーツ時計も誤差は「1日にほぼ1秒」程度とわずかです。クォーツ時計として動いている間に電波が届くのを待ち、時刻を合わせるのです。

◎ GPS衛星の電波を受信する「衛星電波時計」

　最近は、**衛星電波時計**もあります。地上約2万km上空で周回するGPS衛星から発信されるこの電波は、1575.42MHzと1227.60MHzです。こちらは**極超短波（UHF）**と呼ばれ、周波数は300MHz～3GHz、波長は10cm～1mです。衛星電波時計はGPS衛星から送信されるこの電波の時刻情報を利用して、誤差を自動修正する時計です。

　極超短波（UHF）は、大きな障害物を避けることができませんが、電波は空の上からくるので障害物はほとんどなく、正確に受信できます。

　GPS衛星の電波には「正確な時刻」「衛星の位置」などの情報が含まれています。カーナビゲションの受信機は、4つのGPS衛星のそれぞれから送られた「正確な時刻」の差から、それぞれの衛星との距離を計算します。そして4つの衛星からの距離から、自分の位置を知るのです。電波は、1秒間に約30万kmも進むので、わずか1マイクロ秒（100万分の1秒）の時刻のずれが、300mもの距離の誤差となります。そのためGPS衛星には、正確なセシウム原子時計やルビジウム原子時計が搭載されています。

図3 標準電波を受けて時刻を絶えず修正する

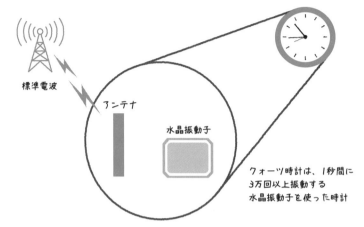

普段は標準電波を受けて、時刻やカレンダーを修正している。電波を受けられないときは、誤差20〜30秒/月のクォーツ時計として動く

図4 衛星電波時計

GPS衛星からの極超短波（UHF）を利用している。UHFは障害物を避ける能力は低いが、障害物が少ない空からやってくるので問題はない

水洗トイレに使われる 「サイホンの原理」とは？

> 起床後、すぐトイレに行く人も多いでしょう。トイレで用を足した後に流す水。少ない水で、汚物をスムーズに排出するために、サイホンの原理が使われています。この原理はどのようなものなのか考えてみましょう。

◎ ストローで水を飲めるワケ

　水の入ったコップにストローを差して吸うと、水はストローの中を昇ってきます。これは、周りに空気（大気）があるから起こる現象です。私たちは、地球を取り巻く空気の中で生活しています。普段、空気の重さを感じることはありませんが、空気の層は厚いので、地表では$1cm^2$あたり約$1kg$の重さがあります。空気によるこの圧力を気圧（大気圧）といいます。

　ストローを吸うとストローの中の空気が減り、気圧が下がります。すると、気圧が下がった分だけ水が上昇してつりあいます（図1）。さらに吸うと、水が口の中に入ってきます。

　水は$1cm^3$あたり約$1g$なので、$1cm$上昇すれば$1g/cm^2$、$2cm$上昇すれば$2g/cm^2$と、何cm上昇したかで、ストローの中の圧力が大気圧からどのくらい減ったかわかります。

◎ ポンプもないのに水を移せる「サイホンの原理」

　図2のようにホースが水で満たされていると、左の水面の高い容器Aの水を、右の水面の低い水面の容器Bに移せます。このとき、水は高いほうの水面よりも高いところまで上がって移動します。なお、2つの容器の水面にかかる大気圧は、低い位置にあるBのほうが大きいのですが、ほんのわずかなので、ほぼ同じと考えることができます。

図1 ストローで水が飲めるのは大気圧のおかげ

ストローの中の気圧 ＋ 上昇した水の圧力 ＝ 大気圧

空気が吸われてストローの中の気圧が下がる。すると下がった気圧の分だけ水が上昇して、大気圧とつりあう。空気を吸ったから水が上昇したように思えるが、大気圧とストローの中の気圧との差によって水は上昇する

図2 サイホンの原理

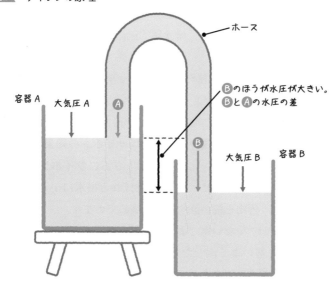

大気圧Aと大気圧Bでは、大気圧Bのほうがわずかだが大きい。ⒶとⒷの水圧は、Ⓑのほうが大きいので、この水圧の差によって水は容器Aから容器Bに向かって流れる。やがて水面が同じ高さになると、圧力差がなくなるので水の移動は止まる

　AとBのホースの出口の圧力を比べると、水面の高さの分だけB
のほうが大きくなります。この圧力の差によって、水がBのほうに
移動します。これが**サイホンの原理**です。やがて水面の高さが同じ
になると、圧力の差はなくなるので、水は移動しなくなります。A
のホースの口を見ると、水がポンプで吸い込まれているように
ホースへ入っていきます。この吸引力が水洗トイレに活用されて
いるのです。

◎ 引き抜かれるように流れてきれいに洗浄

　水洗トイレで用を足した後に流す水には、大きく次の3つの目的
があります。

　①汚物を洗い流す

　②便器そのものを洗浄する

　③最後に便器にたまって、排水路（下水管）とトイレ内を遮断し
　　て臭気を防ぐ

　サイホンの原理は①に使われています。構造が簡単な「洗い落と
し式」の便器では、図3のように、タンクにたまっていた水の勢い
で汚物を流しています。この排水路の部分に、サイホンの構造部を
取りつけたのが**サイホン式**の便器です。サイホンの効果によって、
洗浄水が引き抜かれるように流れます。さらに**サイホンゼット式**
では、便器の底にある「ゼット口」と呼ばれる出水口から強い水流
を流すことで、汚物を洗い流す効果を高めています。

　各メーカーは、少ない水でより効果が上がるように、流れる水に
圧力をかけて勢いよく流したり、渦を巻くように水を流したりす
るなど、さまざまな工夫をしています。ある便器メーカーのウェブ
サイトを見ると、20年前は1回あたり13L使われていた水が、現在
では3.8Lと、大幅に節水されています。

図3　水洗トイレの洗浄方式例

洗い落とし式

メインの水　便器を洗う水

流れる水の勢いで便器を洗いながら汚物を流すため、大量の水が必要になる

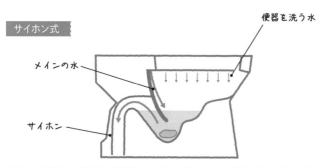

サイホン式

便器を洗う水

メインの水

サイホン

サイホンの効果で、洗浄水が引き抜かれるように流れるため、「洗い落とし式」に比べて少ない水で汚物が流される

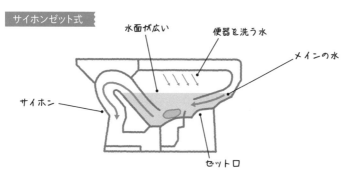

サイホンゼット式

水面が広い　便器を洗う水

メインの水

サイホン

ゼット口

水を、便器を洗う水とゼット口からの水の2つに分けて流す。底のほうにあるゼット口からメインの水を流すことで、強制的にサイホンの効果を作り出す。水のたまる面が広く、汚物が便器に付着しにくい

電子レンジは食品中の水を
どうやって温めているか？

忙しい朝に便利な電子レンジは、電波のもつエネルギーを食品に含まれている水に与えて温めています。食品中の水分子がどのように揺り動かされて、熱を得ているかを考えてみましょう。

「火がないのに、食品が温かくなる！」——電子レンジは食品加熱の「革命」といえるでしょう。わが国で家庭向けの量産品として発売されたのは1962年です。その後、電子レンジは、比較的短時間で食品を加熱できて、直接火を使わないことから、安全な加熱手段として急速に普及しました。今では、わが国の電子レンジ普及率は96％と推測されています。

電子レンジの外観と構造を図1に示します。電波的に密閉された箱の中で、**マグネトロン**という発振器から発生させた強力な**電波（電磁波）**を、導波管という通路を通して、レンジ内の食品に照射します。照射するのは、非常に高い周波数（2.45GHz = 2450MHz）の電波（マイクロ波）です。ここでG（ギガ）は10億（10^9）を示します。つまり、振動は1秒間に24億5000万回です。

◎ なぜ電波（電磁波）のエネルギーが熱になる？

電子レンジの電波が温めるのは食品中の**水**です。この高い周波数の電磁波は、水の分子だけに作用するのではありませんが、水が最も影響を受けます。水分子は図2のように、酸素原子1個と水素原子2個からできて、H_2Oと書きます。この水分子は、図2で示したような構造によって、双極子モーメントをもちます。分子内で正電荷と負電荷が対を成す状態です。これが敏感に応答します。

分子1個では図3のように、双極子が電場の方向にただちにそろ

図1　電子レンジの構造のイメージ

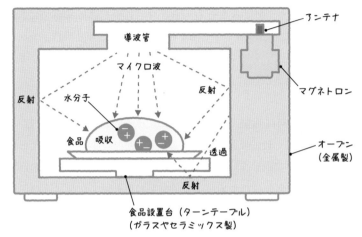

マグネトロンでつくられた電波は導波管で食品まで導かれるが、管の口から均一に降り注ぐように設計しても、内部での反射によってなかなか一様に当たらない。そこで、食品のほうをターンテーブルで回転させるタイプが多い

図2　水分子の構造

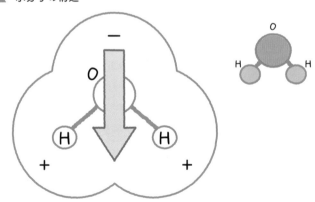

右上がよくある分子模型で、H-O-Hと表記する場合もある。分子内は電荷の分布に偏りがある。中央にある酸素原子が負（－）の電荷をもち、カギ型に曲がった両端の水素原子が正（＋）の電荷をもつ。その正電荷と負電荷の対を矢印で表し、双極子モーメントという

う動きをします。このとき、水素の位置が分子内を大きく移動するので「分子回転」と見ることもできます。しかし液体状態では、分子と分子の関係が本質です。個々の分子が「回転する時間」よりももっと短時間で、分子の集まりの中にネットワークをつくるダイナミックな働きが起こります。

◎ 電場の方向に追従しようとする水分子の動きが熱を生む

　液体の水は一般的な液体のように、分子がただ集まってそれぞれの分子が勝手に動いているのではありません。ある水分子に着目すると、正電荷をもった水素原子を仲立ちに、隣接する水分子の負電荷をもった酸素原子とが引き合います。この水分子同士の結びつきを**水素結合**といいます。水分子同士には、一般的な液体の分子同士に働く分子間力に加えて、この水素結合の力が働いています。

　氷は、水分子が水素結合で結びついて、水分子はそれぞれの位置を変えない結晶状態になっているので硬くなります。ところが、液体の水の場合は氷と違い、それぞれの水分子がある程度位置を変えられるので液状です。ただし液体の水でも、水分子同士の大部分は水素結合でつながったり、離れたりしています。

　水素結合は図4の分子間の細い矢印のように、お互いにつながったネットワークをつくっています。しかし、次の瞬間には水素結合が切れて、別の分子と水素結合でつながったりします。振動電場はそんな乱雑な運動をしているネットワークに働きかけているのです。満員電車の中では体を動かしにくいように、個々の水分子はモタモタしてしまいます。そのイメージが図4です。水分子の平均的な動きは、電場の方向にほぼ追従していても、このようなネットワークによる「応答のモタツキ」がひきずりを起こし、それが積もり積もって「熱」が発生するのです。

図3 双極子は電場の方向に合わせて向きを変える

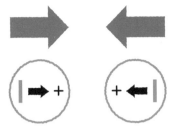

水分子は酸素が負（−）の電荷をもち、水素が正（＋）の電荷をもって双極子モーメント（黒矢印）をもっている。そのため、電場の方向（灰色矢印）の変化に応じて、双極子が向きを変える

図4 液体中での水分子のふるまい

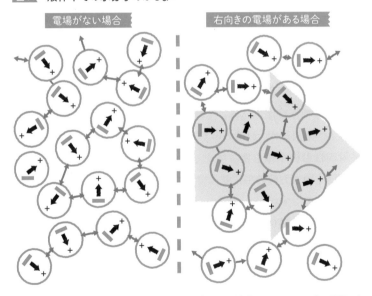

分子間には常に水素結合によるネットワークが形成されたり消滅したりしている。左は電場のない場合で、双極子はでたらめな方向を向いている。右は右向きの電場がある場合で、双極子は平均としては電場の方向にそろってくる（熱運動や水素結合ネットワークの影響で揺らいでいる）。電場が左向きになると、平均としては向きが反転するが、応答の遅れのため、やはり「ばらつき」が残る

参考文献：江馬一弘/著『光とは何か』（宝島社、2014年）

お味噌汁を放置しておくと できる六角形の模様は何？

朝食などで熱々のお味噌汁をしばらく置いておくと、溶かれたお味噌の濃淡ができて、お椀の中に小さな「六角形」が並んだ模様が見えることがあります。これはなぜか考えてみましょう。

◎ お味噌汁を「熱力学」で考える

対流とは、空気や水などの気体や液体の温度に、場所による違いができることによって流れが生じる現象のことです。

お椀の中の温かいお味噌汁の表面をよく見てみると、白い湯気（ゆげ）が上がっています。湯気はお味噌汁の表面で水がたくさん蒸発している証拠です。蒸発があると、お味噌汁の表面から熱がたくさん奪われて温度が下がります。

一方、お椀自体は熱を伝えにくく保温性があるので、内部のお味噌汁は温かい温度を保っています。温度が下がって重くなった表面のお味噌汁は沈み込み、代わりに底からまだ温かいお味噌汁がわき上がる対流が、お椀の中で起こっています。

対流はお椀全体を使ってぐるっと回るわけではなく、小さな対流がいくつもお椀の中に並んで生じます。このため、**規則正しい模様**になるのです。

お味噌汁の模様をよく見ると、六角形の辺の部分がやや透明で、その内側ではお味噌の粒子が濃くなっていますね。これは、辺の部分で表面からの沈み込みが起こっていて、中心部では底のお味噌の濃い部分がわき上がっているためです。

◎ 発見者の名を冠する「ベナール対流」

このような対流は、発見者であるフランスの物理学者アンリ・ベ

図1　お味噌汁の中で起こっていること

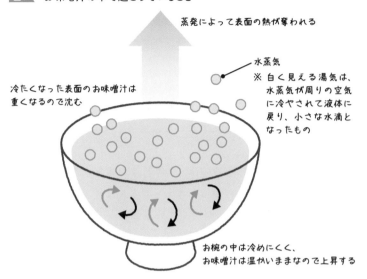

蒸発によって表面の熱が奪われる

水蒸気

※ 白く見える湯気は、水蒸気が周りの空気に冷やされて液体に戻り、小さな水滴となったもの

冷たくなった表面のお味噌汁は重くなるので沈む

お椀の中は冷めにくく、お味噌汁は温かいままなので上昇する

図2　お味噌汁の中にできた「六角形」の模様

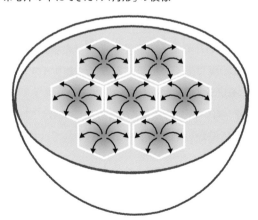

お味噌汁のベナール・セルとそこでの流れ。真ん中の濃いところで浮き上がっていて、周りで沈み込んでいる

ナールの名前から**ベナール対流**といいます。そして対流の構造が規則的に並んでいる状態が「細胞（セル）」に似ていることから、お味噌汁の中にできた六角形の模様は**ベナール・セル**と呼ばれています。

底が平らな容器に粘り気の高い液体を浅く入れ、容器の底面をおだやかに均一に加熱するような理想的な条件の下で実験を行うと、ベナール・セルは非常にきれいな六角形で再現することができます。

セルの形が六角形になるのは、六角形は空間をすき間なく均等に埋め尽くすパターンだからと考えられています。条件によっては、同じように空間をすき間なく埋めることができる**正方形**をとる場合もあります。

◉ お椀の中の「六角形」、空の「イワシ雲」

お味噌汁の中で見られるこの模様、身近な別の場所でも見ることができるのですが、どこだかわかりますか？

それは**空**です。

1つ1つは小さいけれども大きさのそろった雲が、空一面に規則正しく広がる壮観な様子を目にすることがあります。これは、「**うろこ雲**」や「**イワシ雲**」と呼ばれている雲で、気象学では「**巻積雲**」に分類される、高い場所にできる雲です。この雲ができるのは、お味噌汁のように温かい空気の上面が冷やされて、上空で対流が起きるためです。

巻積雲は**低気圧や台風が近づいてくると見られる**ことが多い雲です。

両手の中に収まるお椀の中と見上げる大空とで、同じ現象を見ることができるとは、とても興味深いですね。

図3 空間をすき間なく埋め尽くす図形

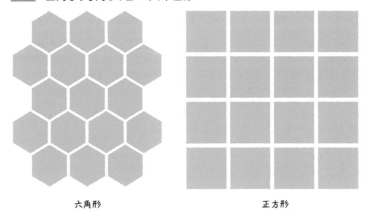

六角形　　　　　　　　　　　　　　正方形

図4 イワシ雲

残念なことに、このような雲が見られると、数日で天気が悪くなる場合が多い

27

Q-05 コーヒーはなぜ飲む直前に 粉にするとおいしいのか?

> 目覚めのコーヒーが欠かせない人もいるでしょう。おいしいコーヒーを淹れる操作は「すべて化学的な手法」といっても過言ではありません。コーヒー豆の抽出という視点で「最高の一杯」を目指す工夫について考えてみましょう。

◎ コーヒーの「おいしさ」は定義が難しい

　まず、コーヒーの「おいしさ」は、どのような要素で決まるのかを考えてみましょう。「おいしさ」の中心になるのは、もちろん**味**です。甘味・苦味・酸味・塩味・うま味といった5種類の基本味に加えて、辛味や渋味といった要素が複雑に加わることで、総合的な味が形成されています。「おいしさ」は、味以外の要素にも左右されます。特に、香りやテクスチャー（触感・口触り）は重要な要素として知られています。

　おいしいコーヒーを定義することは、人によって好みもあるためとても難しいのですが、「芳ばしい香りと苦味・酸味などが絶妙に絡み合った芳醇な風味をもつコーヒーはおいしい」といえるのではないでしょうか。

◎ なぜ「焙煎」し「粉砕」するのか?

　おいしいコーヒーを得るための重要な工程として**焙煎**があります。焙煎することで生豆中の化学成分が変化し、はじめてコーヒー独特の風味が生まれるのです。では、「焙煎豆を丸ごとお湯に入れたらおいしいコーヒーになるのか」というと、当然そうではありません。成分がなかなか溶け出さないからです。

　そこで、焙煎豆を粉砕（グラインディング）する工程が必要です。粉末にすると、**焙煎豆の表面積は数十倍〜数百倍に大きくなり、さ**

図1 コーヒー豆と粉末の保存期間

豆の状態での保存期間は約1カ月。粉の状態での保存期間は約1週間

図2 粉末にすると表面積が大きくなる

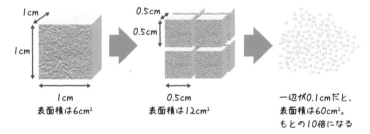

一辺が0.1cmだと、表面積は60cm²。もとの10倍になる

図3 抽出とろ過でおいしいコーヒーをつくる

コーヒー豆の粉末にお湯を注いでつくるドリップコーヒー。よくある光景だが、この操作は化学で重要な実験操作である「ろ過」と「抽出」を同時に行っている。お湯を注ぐことで、粉末から水溶性の水分を抽出し、さらにコーヒーフィルターでろ過して、溶液（コーヒー）とコーヒーかすに分離している

まざまな成分をお湯に溶かせるからです。ちなみに、特定の成分を溶かし出して分離する方法を**抽出**といいます。粉砕してすぐの粉で抽出すると、豆の中に閉じ込められていた芳ばしい香り成分が十分に放出され、おいしいコーヒーが得られます。化学の世界でも、抽出は非常に重要な実験操作の1つです。

◎ 飲む直前に豆から粉にして劣化を減らす

　一般的にコーヒーは、**粉砕した瞬間から劣化**が急激に進んでしまいます。もちろん豆の状態でも劣化しますが、表面積が劇的に増加した粉の状態では、空気と触れる面積がさらに増えて酸化が進み、吸湿性も上がるので酸味が増し、風味も損なわれていきます。

　できるだけ風味を逃さずおいしく飲むためには、コーヒー豆を豆のまま購入し、**淹れる直前に粉に挽く**のがベストです。さらにこだわるなら、挽く粉の大きさを均一にすることをお勧めします。ただ、あまりにも細かく挽いてしまうと、表面積が大きくなりすぎて「おいしくない」成分まで抽出されてしまいます。また、フィルターで完全にろ過できないためコーヒーに入り込み、舌ざわりも悪くなるといわれています。

◎ 多くの成分がコーヒーの風味をつくる

　焙煎したコーヒー豆には、数百種類の成分が含まれていますが、すべての構造が解明されているわけではありません。未知の物質も含め、組成比は焙煎具合によって変化し、複雑に混ざり合うことでコーヒーの風味をつくっています。特定されている成分で有名なものに**カフェイン**があります。眠気・倦怠感の解消に効果が認められています。また、その他にも**抗酸化機能をもつポリフェノール類**が存在することも知られています。

図4 焙煎したコーヒー豆に含まれる成分

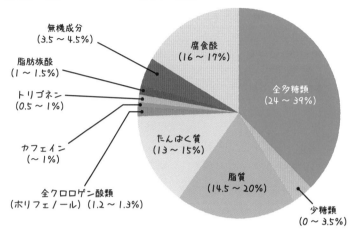

無機成分
(3.5 ～ 4.5%)

脂肪族酸
(1 ～ 1.5%)

トリゴネン
(0.5 ～ 1%)

カフェイン
(～ 1%)

全クロロゲン酸類
(ポリフェノール) (1.2 ～ 1.3%)

腐食酸
(16 ～ 17%)

全多糖類
(24 ～ 39%)

たんぱく質
(13 ～ 15%)

脂質
(14.5 ～ 20%)

少糖類
(0 ～ 3.5%)

コーヒーに含まれる成分の中には、薬の原料となるようなものもあり、体や健康に影響を与える可能性があることが年々明らかになっている。たとえば、糖尿病や直腸結腸がん、パーキンソン病に対して有効性が示唆されている一方、肺がん発症率の増加や妊婦への悪影響なども指摘されている。まだまだわかっていないことも多い

図5 コーヒーといろいろなお茶に含まれるカフェイン量の比較（g）

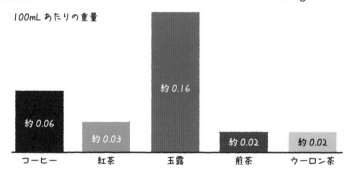

100mL あたりの重量

約0.06 コーヒー
約0.03 紅茶
約0.16 玉露
約0.02 煎茶
約0.02 ウーロン茶

http://coffee.ajca.or.jp/webmagazine/library/caffeine
文部科学省『五訂日本食品標準成分表』

スマホやスマートスピーカーは
なぜ人の言葉がわかるのか?

スマホやスマートスピーカーに向かって「Hey Siri」「アレクサ」「OK google」などと呼びかけてみると、反応があります。毎朝、天気をたずねたりする人もいるでしょう。どのように私たちの言葉を「理解」しているのでしょうか。

◎「Hey Siri」「アレクサ」「OK google」とは?

これらは、**ウェイクワード**といって、システムを呼び出す言葉です。この言葉でシステムが動きはじめます。人の言葉そのものを認識する必要があるため、このシステムには**音声認識**が必要になります。人がしゃべっている会話を、**音声信号**として取り出すことからはじまります。

取り出した音声信号は、コンピュータが認識できるデータ(デジタル)に変換します。その中から、「意味のある文字」を「つながりのある言葉」として認識します。

◎ディープラーニングは音声認識や自然言語処理で使われる

音声認識では、**ディープラーニング**が重要です。ディープラーニングの考え方を説明しましょう。ディープラーニングは、**人間の脳のしくみをコンピュータ上で数値的に再現したもの**です。ここでいう脳のしくみとは、ニューロン(脳を構成する神経細胞)とシナプス(他のニューロンとの接合部分)のことです。ニューロンとニューロンはシナプスで結びつき、記憶したり判断したりしています。このしくみを真似た、層状のニューラルネットワーク(脳の構造を模したもの)をつくり、それぞれのつながりや関係を重みづけして判断に役立てていきます。

たとえば、私が「こうきな」といったとします。

図1 ウェイクワードを探す

「呼ばれたぞ！」
システム開始

スマホくん、スマートスピーカーくん

音声認識に対応したスマホやスマートスピーカーは、人が話す言葉から「Hey Siri」「アレクサ」
「OK google」などを探す

図2 音声認識のイメージ

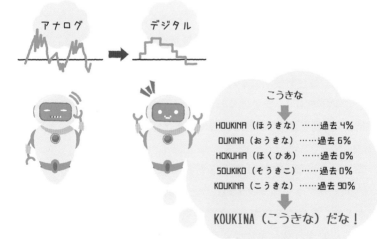

アナログ　　　デジタル

こうきな

HOUKINA（ほうきな）……過去4%
OUKINA（おうきな）……過去6%
HOKUHIA（ほくひあ）……過去0%
SOUKIKO（そうきこ）……過去0%
KOUKINA（こうきな）……過去90%

KOUKINA（こうきな）だな！

アナログの信号をデジタルの信号に変えて、コンピュータが認識できるようにする。例の場合、
「こうきな」は「KO・U・KI・NA」「O・O・KI・NA」「HO・U・KI・NA」などの中から、最適だ
と考えられるものが選ばれるが、ときに聞き間違えることもある

　AIのシステムは「こうきな」を「ほうきな」「おうきな」「ほくひあ」「そうきこ」……など、聞き間違えやすい発音から、私がいっていそうな発音を選んでいきます。

　このときもディープラーニングの手法を使います。「こうきな」は過去に聞いたことがありそうなので、高い確率で選ばれます。その次に「ほうきな」、これも聞いたことがありそうなので、その次の候補に選んでいきます。このようにして、過去に聞いたことがある発音のつながりが候補に挙がります。

　次に、音声認識で得た情報を、人間の使う言葉や文章のもつ意味として認識します。**自然言語処理**（Natural Language Processing）です。私が「こうきな」に続いて、「かおり」といったとします。AIのシステムは、「こうきな」の音声認識で理解したのと同様に「かおり」も認識します。「こうきな」「かおり」といっていることを理解し、この発音のつながりから、意味のある文章を探し出します。

　「こうきな」からは、「高貴な」「好奇な」「幸喜な」……と、意味がつながる言葉を探します。次に「かおり」から「香」「香り」「香織」「薫り」……などを候補に挙げていきます。出てきた候補から、文章として意味があり、過去に使われていた言葉や文章を選びます。その結果「高貴な香り」が選ばれるのです。

◎ 人と「会話」すればするほど賢くなっていく

　ディープラーニングでは、今まで聞いたことがある音声のつながりや、言葉のつながり、文章で重みづけをしていきます。私たちがよく使う言葉や発音などを参考に言葉を選んだり、文章を理解したりするのですから、**私たちとAIが過去にどんな会話をしたかが重要**です。繰り返し学習し、私たちの話しかけた内容を正確に理解するようになっていくのです。

図3 自然言語処理のイメージ

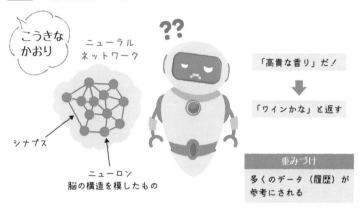

「こうきな」から「高貴な」「好奇な」「幸喜な」……などの言葉を選び、後に続く「かおり」も候補を選び、「高貴な香り」を選び出す。ここでも重みづけが重要になる

図4 人との会話で学習する

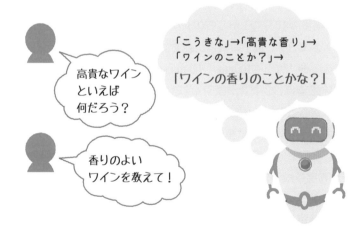

siriやアレクサは、人との会話をデータとして学習している。このような人との会話が履歴として、重みづけの参考になっていく

感染症を起こすウイルスを マスクで本当に遮断できる？

インフルエンザや新型コロナウイルスによる感染症の飛沫感染防止策は咳エチケットですが、咳エチケットの1つがマスクです。もはや、外出時の必須アイテムになったマスクの効果を考えてみましょう。

◎ 細菌とウイルスの違い

病原体になる微生物には細菌やウイルスなどがあります。細菌には赤痢菌、病原大腸菌（腸管出血性大腸菌）、結核菌、肺炎球菌、コレラ菌など、ウイルスにはインフルエンザウイルス、新型コロナウイルス（SARSコロナウイルス2）、ノロウイルスなどたくさんの種類があります。

マスクに関連して、細菌とウイルスの大きな違いは大きさです。細菌は光学顕微鏡で見ることができ、多くは1μm（マイクロメートル）程度です。対して、ウイルスの多くは$20\sim40$nm（ナノメートル）で細菌の10分の1から100分の1も小さく、光学顕微鏡では見ることができず、電子顕微鏡が必要です。インフルエンザウイルスで100nmほどです（100nm = 1μm = 0.001mm）。

飛沫感染は、感染者が咳やくしゃみをすることでウイルスを含む飛沫が飛散し、これを健康な人が鼻や口から吸い込み、ウイルスを含んだ飛沫が粘膜に接触することによって感染する経路を指します。そのときの飛沫の多くは大きさが$3\sim5\mu$m程度の水滴です。5μm程度の飛沫は、空気中では$1\sim2$m飛んで落下すると考えられています。

接触感染は、皮膚や粘膜の直接的な接触や、手、ドアノブ、手すり、スイッチ、ボタンなどの表面を介する感染経路を指します。その他にも共用パソコンのキーボードやおつりの受け渡し、スー

図1　細菌とウイルスの大きさ

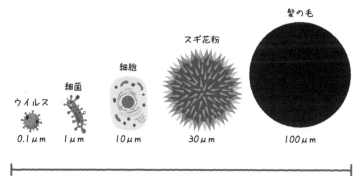

細菌は光学顕微鏡で観察できるが、ウイルスは電子顕微鏡が必要だ

図2　飛沫感染（エアロゾル感染も含む）と接触感染

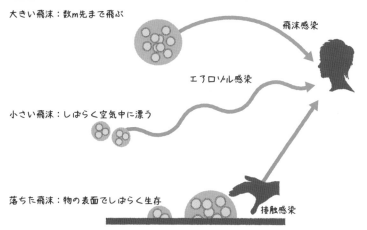

パーやコンビニエンスストアのかごやカートもリスクがあります。

◎ 咳が出ている人は積極的にマスクの着用を

インフルエンザの流行期に咳が出ている人、つまり感染者である可能性がある人には**咳エチケット**が推奨されています。ウイルスを含んだ飛沫の拡散を防ぐためですから、咳が出ている人は積極的にマスクを着用しましょう。

お勧めは、医療用の不織布マスク（サージカルマスク）と同様の**家庭用不織布マスク**です。外側の表面不織布、顔に触れる内側の不織布、中間に挟んだフィルター機能をもつ不織布で構成されたものです。これは医療用の不織布マスクと同様の効果があります。

◎ マスクで飛沫感染は防げるか？

マスクによる捕捉粒子の大きさは、不織布マスクの穴から考えると5μm以上ですが3層構成なので、より小さな飛沫も多くを捕捉することができます。

なお、マスクの性能については、一般に誇大な宣伝が多く見られます。マスクを通る部分ではかなり捕捉できても、マスクと顔との間にはすき間があることが多く、ここから入り込みやすいのです。ですから、マスクは顔にできるだけフィットさせることが重要です。

WHO（世界保健機構）は当初、「健康な人がマスクを着用しても感染を予防できる根拠がない」としていましたが、新型コロナウイルス感染症のパンデミック（世界的流行）という事態の中で、2020年6月10日に、その指針を大きく変えました。WHOは、入手可能なすべての証拠を注意深く検討するなどして、「感染が広がっている地域の公共の場では、3層の異なる材料で構成するマスク着用を推奨する」としたのです。

図3　不織布マスクが捕捉できるのは基本的には5μm以上

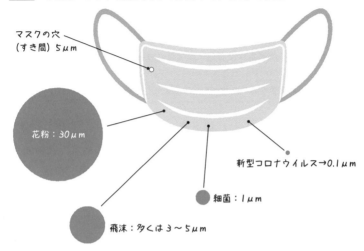

マスクの穴
（すき間）5μm

花粉：30μm

新型コロナウイルス→0.1μm

細菌：1μm

飛沫：多くは3〜5μm

3層になっているので小さな飛沫もかなり捕捉でき、飛散も防ぐ

図4　マスクの漏れ込み

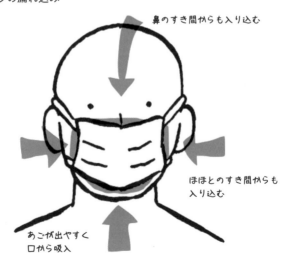

鼻のすき間からも入り込む

ほほとのすき間からも
入り込む

あごが出やすく
口から吸入

水道水を飲み続けるのは危険か？

Q-08

> いつでも飲める水道水は便利ですが塩素の独特のにおいや、発がん性のあるトリハロメタンが気になる人もいるでしょう。しかし基本的には、水道水は厳しい水質基準があるため、そのまま飲んでも健康に問題はありません。

◎ 発がん性物質のトリハロメタンが水道水に!?

　水道の最も大切な条件は、そのまま安心して飲める無菌の水を供給することです。そのために、水道は原水を浄水場で浄化・殺菌しています。

　浄水場では、大きな粒子の沈殿、にごりの沈殿、有機物の分解などを行って、最後に消毒のために塩素殺菌をして各家庭に送り出します。「水道法」という法律で、各家庭の蛇口でも塩素がある一定の量（1Lあたり0.1mg）以上残っているように塩素消毒するように決められています。

　浄水場では大きく**前塩素**と**後塩素**の2回、塩素が使われます。前塩素はマンガンやアンモニア、有機物を除去するためです。後塩素は浄水場から家庭までの給配水管の途中で混入するかもしれない病原菌を殺菌するためです。

　塩素消毒の過程で、塩素と水の中の有機物などが結びついて、発がん性のある**トリハロメタン**ができてしまいます。また、塩素が汚れの一部と結びついて、独特の塩素臭やカルキ臭と呼ばれる「におい物質」がつくられることがあります。これらは前塩素でできてしまいます。

　トリハロメタンは、メタン CH_4 の4つの水素原子のうち3つがハロゲンの原子（塩素Cl、臭素Br、ヨウ素I）に置き換わった分子です。「トリ」は3つ、「ハロ」はハロゲンという意味です。

図1　微生物が消毒に耐える度合い

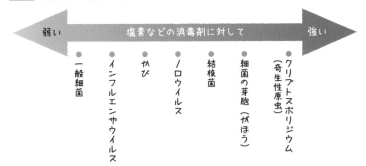

強いほど消毒が大変になる

図2　トリハロメタンとは

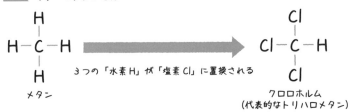

1974年、米国で水道水について「ハリス・レポート」という論文が発表された。「塩素処理をした水道水を飲んでいる地域では、がんによる死亡率が10万人につき33人多い」という内容だったが、主な原因は水道水に含まれているクロロホルムという説だった。ただし、現在では「大げさだった」という評価がなされている

図3　塩素臭の原因

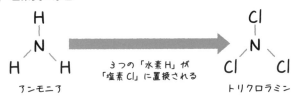

特にトリクロラミンは、微量でも臭気を感じる物質

有機物が多い——つまり、汚れた水ほどトリハロメタンはたくさんできます。また、温度が高いほうがたくさんできるので、夏場はトリハロメタンの濃度が上がります。

◎ あなたの家の水道はどの浄水法？

浄水場の浄水方法、つまり水道水をつくる方法には、緩速ろ過方式、急速ろ過方式、高度浄水処理方式の3つの方式があります。それぞれの特徴を見てみましょう。

緩速ろ過方式は、大きな池に砂を敷き、原水を1日4〜5mのスピードで、微生物が暮らしている砂でろ過します。おいしい水ができますが、処理できる水量が少なく、広い面積が必要で、メンテナンスが大変なため、浄水場全体に占める割合は小さいです。

急速ろ過方式は、多くの浄水場で取り入れられています。汚れを分解するのに、微生物の代わりに塩素（前塩素）を使います。

高度浄水処理方式は、新しい浄水方法です。「高度」というのは、通常の浄水処理に追加して行う処理をいいます。代表的な方法としては、オゾン処理、活性炭処理、生物処理などがあります。たとえば、有機物などの汚れを分解するのに、塩素ではなくオゾンを用いています。カビ臭もなくなり、同じ条件での目隠しテストで、**ミネラル・ウオーターと違いが感じられなくなるほど**です。

かつて「水道水がまずい」と騒がれた時代がありました。水道水の処理が急速ろ過方式から高度浄水処理方式へ切り替わりはじめたのはそのころからです。特に、原水となる川の水が汚いため、急速ろ過方式で浄水しているときは強い塩素臭やカビ臭の苦情が多く、高度浄水処理方式に切り替わりました。**東京や大阪の水道水は、急速ろ過方式から高度浄水処理方式に切り替わることで劇的においしく**なりました。

図4　急速ろ過方式のしくみ

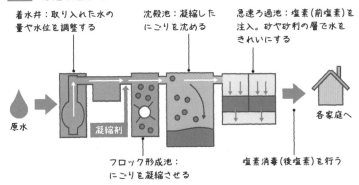

着水井：取り入れた水の
量や水位を調整する

沈殿池：凝縮した
にごりを沈める

急速ろ過池：塩素（前塩素）を
注入。砂や砂利の層で水を
きれいにする

原水

凝縮剤

各家庭へ

フロック形成池：
にごりを凝縮させる

塩素消毒（後塩素）を行う

水中の小さなにごりや細菌類などを薬品で凝集、沈殿させた後の上澄みを、1日に120〜
150mのスピードで、急速ろ過池の砂層に通し、水をきれいにする。狭い敷地でも実施できる
　　　参考：東京都水道局　https://www.waterworks.metro.tokyo.jp/suigen/topic/26.html

図5　高度浄水処理方式のしくみ

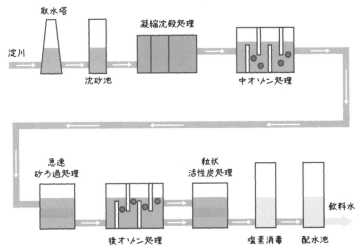

取水塔

凝縮沈殿処理

淀川

沈砂池

中オゾン処理

急速
砂ろ過処理

粒状
活性炭処理

飲料水

後オゾン処理

塩素消毒　配水池

大阪市のケース。カビ臭を除去し、トリハロメタンの生成も少なくなり、おいしい水にできる
　　　参考：大阪 水・環境ソリューション機構　https://owesa.jp/technology/

「あったか下着」はなぜ暖かいのか？

> あったか下着の1つである、「吸湿発熱素材」でできた下着のしくみを考えてみましょう。吸湿発熱素材でできた繊維のしくみは、水蒸気が露（液体の水）となるときに周りに熱を放出することです。

◎ 水の状態変化

物質は約1億倍にしても1cm程度にしかならない非常に小さい原子や分子がたくさん集まってできています。水なら氷、水、水蒸気、つまり**固体**、**液体**、**気体**という3つの状態があります。3つの状態の違いは、水分子の集まり方の違いによるものです。

固体や液体は、水分子がお互いにくっつき合って集まっています。気体の水蒸気は、水分子が1個1個バラバラで、すごいスピードで自由にビュンビュン飛んでいます。

◎ 液体の水と水蒸気の間の状態変化と熱の出入り

液体の水を加熱する（外からエネルギーを加える）と水蒸気になります。このとき加える熱は**気化熱**です。

逆に水蒸気が水になる——つまり水蒸気が露（液体の水）になるとどうなるでしょうか？　1個1個の水分子がバラバラで、ビュンビュン飛び回っていた水蒸気が凝縮して露になると、周りに熱を放出します。つまり、**周囲の温度を上げる**のです。

◎「あったか下着」などで有名な吸湿発熱素材

古くから、ウール（羊毛）の繊維は、人体から出ている水蒸気を吸収して水にする能力が高く、そのときの**凝縮熱で温かくなる性質**がありました。しかし、羊毛は「価格が高い」「モコモコしてしま

図1　水の状態変化と水分子の集まり方

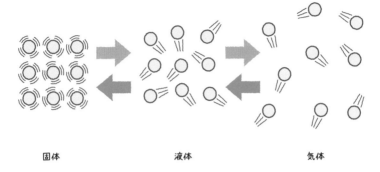

固体　　　　　　　　　　　液体　　　　　　　　　　気体

図2　「水⇆水蒸気」と気化熱、凝縮熱の関係

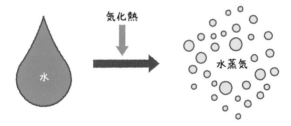

気化熱

水

水蒸気

水は「気化熱」を周りから奪って水蒸気になる

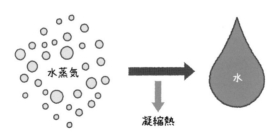

水蒸気

水

凝縮熱

このときの熱は「凝縮熱」。水蒸気は凝縮熱を周りに放出して水になる

う」「家庭で簡単に洗濯できない」という難点がありました。

そこで、羊毛などよりも繊維を細くし、全体の表面積を増やすことで水分を多く含むようにした合成繊維が開発されました。これが**吸湿発熱素材**です。

日本では、2003年にユニクロが「ヒートテック」を発売し、定番商品となりました。化繊メーカーでは、水分吸収率が低い化繊に「いかに多くの水蒸気をとらえさせるか」でしのぎを削っています。なお、吸湿発熱素材でも、水分が飽和すればむれるし、冷えてしまいます。

◎ エアポケット（空気の層）を大きくして保温性を高める

吸湿発熱素材を活かすためには**保温性**が重要です。保温性には空気が大いに関係しています。

空気は熱伝導率が低いため、衣服内により多くの暖かい空気層をつくる工夫をすれば、その分だけ保温力を上げることができるようになります。その代表的な工夫の1つは、「生地内に多くの空気をため込み、暖まった空気を外に逃がさない」というものです。

たとえばウールは、細かいケバが空気をとどめるので網目にある空気が移動しにくく、体温によって温められた網目の空気が体をおおい、外気をさえぎってくれます。

また、内部を空洞にした**中空糸**という繊維を使うと、繊維の空洞部分に空気をため込むことができるだけでなく、内部が空洞になっているので軽くなります。「暖かさ」と「軽さ」という2つの性能が向上します。

ヒートテックでは、レーヨンの外側に、極細に加工されたマイクロアクリルを配しています。これで、繊維と繊維の間にできるエアポケット（空気の層）が大きくなり、保温性が高まります。

図3 ヒートテックのレーヨンによる吸湿発熱

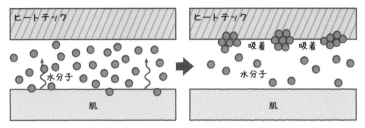

人の肌から出る水分子をヒートテックのレーヨンが吸着。水蒸気が水になるときの凝縮熱で発熱する

図4 ダウンジャケットの保温性が高いわけ

水鳥の羽毛は、細い繊維同士のすき間に空気を多く含む。羽毛からなるダウンジャケットなどは、服に含まれる空気の割合が98％以上になるので断熱保温性に優れている

「自動改札」のしくみは？どうして自動で改札できるの？

通勤や通学で毎日使う自動改札は、センサーで人を検知しながら、高速できっぷの処理もできる機器。改札の混雑解消と不正防止に役立っていますが、どんなしくみなのか調べてみましょう。

◎ 赤外線センサーで人の接近を検知

自動改札は全国で2万7000台以上が設置されている機械式の改札機です。ドア、表示部、赤外線センサー、ICカードの識別機、搬送部からできています。搬送部というのは、自動改札の中で、きっぷを投入口から取出口まで運びながら、向きを直し、データを読み書きし、穴を開けたり回収したりする部分です。

乗客が自動改札機に近づくと**赤外線センサー**が検知して、まずはドアを閉めます。赤外線センサーは通路の側面に複数あって、1つが荷物などでふさがっても、他の赤外線センサーが検知できるようになっています。そして、タッチされたICカードから瞬時に運賃を計算して残高から引いたり、投入されたきっぷをチェックします。通してよければドアを開けます。自動改札は、センサー技術やコンピュータを駆使して、きっぷのチェック、精算、カードの読み取りなど、たくさんの処理を瞬時に行っているのです。

自動改札の歴史は意外に古く、硬貨やトークンというコインを入れてゲートを回転させて通るものがはじまりです。日本では、1927年に開業した東京の地下鉄で採用されました。1969年から現在のような磁気式のものが使われはじめ、2001年からICカードも広がりはじめました。

自動改札機はもともと**改札口の混雑解消**が目的で導入されました。駅係員がいらないので通路幅を広くでき、台数を増やすことで

図1 ICカードもきっぷも利用できるタイプ

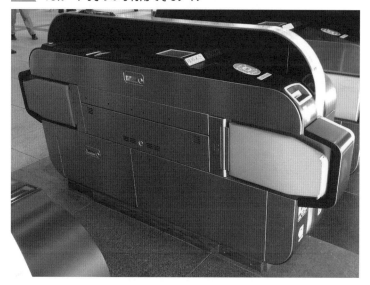

図2 搬送部の内部構造

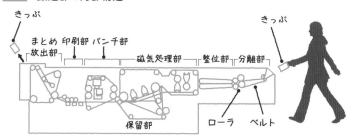

一度にたくさんの人が改札を通れるようになるのです。同時に、きっぷの入場記録を正確にチェックできるので、**不正乗車が劇的に減少**しました。

◎ 顧客サービスの向上にも使われている

最新の自動改札機ではICカードやスマホでも改札を通れます。自動改札機から微弱な電波（短波）が出ていて、読み取り部分にICカードやスマホをかざすと、電波からの電力を使ってデータが送受信されます。

電波さえ届けば、定期入れやカバンなどに入れたままでも乗客は改札を通ることができ、駅としてもきっぷの発行と回収の手間が減るというメリットがあります。

現在の自動改札はLANケーブルなどで改札係員の端末や駅のコンピュータにつながっていて、乗客の入出場記録を本社に送っています。ICカードの**履歴追跡**が簡単にできるようになり、不正乗車は一層しにくくなりました。また乗車駅と降車駅のデータ（ODデータ。Oは「Origin（出発地）」、Dは「Destination（目的地）」）を簡単に集めることができるので、それをもとに**サービス向上**にも利用されています。

ただ、自動改札機にも苦手なことはあります。大人（中学生以上）と子どもや、子どもと幼児（無料）の区別です。一般的な鉄道会社では中学生以上を大人としていますが、たとえば小学6年生と中学1年生は、身長センサーだけでは区別できません。

そこで自動改札機は、子ども用のきっぷやICカードの中の生年月日情報をもとに音を鳴らしたり、ランプを点灯したりして、駅係員が「本当に子どもが通っているのか」どうかを目視で判断しているのです。

図3 ICカードの処理の流れ

「検出」→「認識」→「読み書き」を0.1秒で行う

図4 ICカード

この中に残高情報や個人情報、利用履歴などが記録されている

なぜ鉄道は過密スケジュールを こなして毎日運行できるのか？

首都圏の鉄道は、便数が多い路線だとラッシュ時に2分程度の間隔で列車が走っています。これは世界でも例を見ない過密ダイヤです。ここでは過密ダイヤを実現する信号のしくみやダイヤのしくみについて考えてみましょう。

◎「鉄道の信号」と「道路の信号」の違い

自動車用の道路では、車間距離は運転手にゆだねられ、信号は交差点を通過できるか、停止するかの目的で設置されています。しかし鉄道では、信号機と信号機の間には1列車しか入ることができません。これを**閉そく**といいます。

閉そくの間隔を短くすれば多くの列車を走らせることができますが、速度が速すぎると赤信号で停まれなくなります。そこで、赤・黄・緑の3灯ではなく、「赤」「黄／黄」「黄」「黄／緑」「緑」と**5灯**にして速度を制限しています。

たとえば、緑ならば法令上の最高速度時速160km、黄／緑ならば時速130km、黄ならば時速65km、黄／黄ならば45km、赤ならば0kmというように、鉄道会社ごとに制限速度を設け、次の閉そく区間に入る列車速度と前の列車との間隔を調整しているのです。

なお、行き止まりの駅では、列車は通り過ぎないように十分に減速して進入しますが、駅によっては途中駅と同じような速度で進入することもあります。これは、線路をずっと先まで伸ばしてあり、万が一停止位置を過ぎたとしても脱線しないようにしてあるので高速で進入できるのです。

◎ どうやって「過密スケジュール」をこなしているのか

ダイヤはダイヤグラム（列車運行図表）を省略した言葉です。図

図1 閉そくの概念

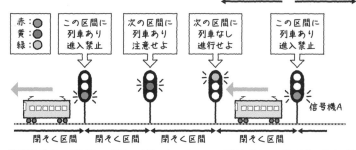

「軌道回路」という装置で、列車の車輪により2本のレール間を短絡させ、閉そく内に電車が在線しているかどうかを判別している

図2 鉄道の信号のイメージ（色灯式）

赤：
黄：
緑：

種類	停止(R)	警戒(YY)	注意(Y)	減速(YG)	進行(G)
速度	0km/h	25km/h以下	40～65km/h以下	50～85km/h以下	制限なし＊
2現示					
3現示					
4現示					
5現示					

＊制限速度は事業者により多少異なる

従来は電球を光源としていたが、近年は道路用の信号と同じくLEDが普及している。万一、信号がつかない場合は「停止」の意味合いとなる

3のように駅を縦軸に、時間を横軸にとったグラフ上に列車の運行を表します。右下がりまたは右上がりといった同じ傾き方向の列車は、進行方向が同じですから、駅や信号場などの待避できる場所以外では線は交わってはいけません。

ダイヤは、駅間距離や信号間隔などを考慮して列車の速度を決め、**線を引くことで列車の運行間隔を決める**ことができます。日本の鉄道ダイヤでは、着発時刻や通過予定時刻は粗くて15秒間隔、細かい路線では5秒間隔で設定されています。

駅で線が交わっているところは、先に着いた列車が通過待ちをしていて、後からきた列車が追い越すことを表します。このようなことが可能な駅では、同じ方向の列車が同時に停車できるようにプラットホームが多かったり、通過列車専用の線路があったりします。

都市圏では相互乗り入れなどもあり、各社の担当者が念入りに調整し、定期的にダイヤをつくり直しています。

単線区間では、上り列車と下り列車を同時に走らせると正面衝突してしまいます。ですから、駅や信号場など複線になっている場所で、対向してくる列車の**通過待ち**をするようにダイヤをつくります。

◎ その見た目から「ダイヤ」と呼ばれる

このようにしてつくられたダイヤは、上り列車を表す線と下り列車を表す線によって、ダイヤモンドの形のように見えることから、ダイヤグラム——略して「ダイヤ」と呼ばれるのです。

鉄道写真ファンは、ひいきの車両が走ってくる瞬間をとらえようと待ち構えています。シャッターチャンスを逃さないように、ダイヤを持参しているマニアも多いそうです。

図3 ダイヤグラムのイメージ

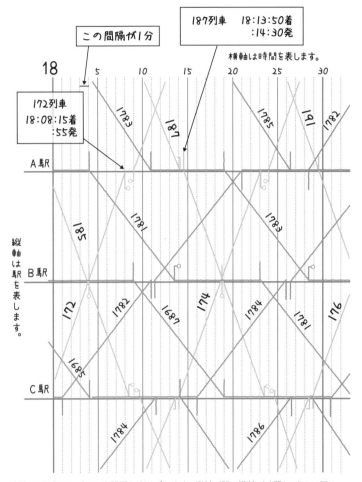

時間の1目盛りは1分や2分間隔などさまざまだが、縦軸が駅で横軸が時間というのは同じ

Q-12 顔認証は、顔のどこを見て本人かどうかを判断しているの？

> スマホやデジカメなどでスナップ写真を撮ろうとすると、被写体の顔の部分が四角いマークで囲まれる機能が一般的になりました。このような顔認証はどのように行われているのか考えてみましょう。

◎「顔の形」の検出からはじまった

　1枚の画像の中から「顔」を検出する技術の研究は、1970年代にははじめられていたようです。ヒトという動物は平面顔なので、**縦長の丸の中に目が2つ、鼻が1つ、口が1つの位置関係を探せるように研究・開発**が行われていました。これをボトムアップ法といいます。

　しかし、正面写真のように真正面から写された顔にはボトムアップ法でもそこそこ認識できるのですが、実際のスナップ写真では横を向いていたり、うつむいていたりするのも珍しくありません。眼鏡をかけている場合もありますし、お化粧の具合もさまざまです。

　そこで「肌色の検出」や「頭髪の分布」、「頭部−首のくびれ−肩のシルエットの検出」などさまざまな技術が生まれ、改良され、提案されました。しかしいずれも決定打とはならず、顔を検出する技術は行き詰まりました。

◎ きっかけは「1本の論文」だった

　今世紀初頭の2001年、米国MITのヴィオラ博士とジョーンズ博士はコンピュータ統計学の研究で、瞬時に確実に物体を見分ける手法を発表しました。簡単にいえば、**対象物を細かな正方形に区切り、その1つ1つを精査した結果を組み合わせて判定する**というも

図1　最近のデジカメのイメージ

最近のデジカメは、被写体の顔の部分を自動的に検出する

図2　買い物客を顔認証する中国の無人コンビニ

5Gインターネットを利用して、買い物客を顔認証する無人コンビニのモニター画面。買い物客は商品を選んだらそのまま店舗を出ることができる　　　　写真：Imaginechina/時事通信フォト

ので、「Viola-Jones 法」と呼ばれています（図2）。

　もともとは写真や顔認証とは関係ないのですが、この研究成果を応用できる技術者がいたのです。「人の顔も同じように精査すると、認証できるのではないか」と。

　まず、顔画像そのものを学習させた後、Viola-Jones 法を応用して、高速化を意識した単純な処理と工夫、高速で精度の高い学習手法の採用により、十分実用に耐える技術が開発されました。

　具体的には、図3のようにある大きさのフレームの中に、白と黒の四角形のパターンを複数用意します。これらのパターンを検出したい写真に対して少しずつ位置をずらしながら当てはめていき、黒と白のコントラストを基にした評価を算出し、総合的に顔認証を行います。

◎ 膨大な顔写真を収集して学習させた

　「言うは易し」ですが、このパターンを当てはめるためには、さまざまな顔の形や角度を学習させなければなりません。このため、**膨大な顔写真を学習させる必要**があります。開発メーカーは、ありとあらゆる場面から顔写真を入手し、ソフトウェアに学習させていきました。

　現在のデジタルカメラや家庭用カラープリンタに用いられている手法は、各社とも非公開ですが、これをベースにしているものが多いと考えられます。

　現在ではオムロンがトップシェアで、アップルやその他の企業に顔認識エンジン（商標名：OKAO Vision）を提供しています。そして、東芝やその他の国内デジタルカメラメーカーがオムロンに続いて顔認証の技術開発を進め、日本が世界のトップを占めています。

図3　顔検出のイメージ

左側のようなさまざまなパターンを、写真内で少しずつずらしながら顔を検出する

図4　開発には大量の顔画像データベースが必要

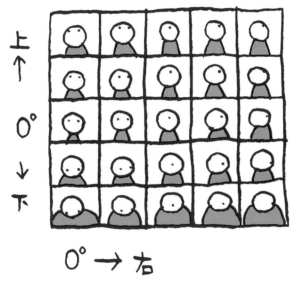

数千人の顔から、3次元形状やさまざまな器官の形の特徴を3Dモデルとして生成している

学校教育や環境活動の中に
入り込んでいる「EM菌」

「有用微生物群」の英語名「エフェクティブ・マイクロオーガニズムス」の頭文字の「EM」が正式名称ですが、一般的には微生物だとわかるようにEM菌と呼ばれます。

開発者は比嘉照夫氏（開発当時、琉球大学農学部教授）で、EM菌の商品群はEM研究機構やEM生活などのEM関連会社から販売されています。EM菌は特定の会社から販売されている商品名のようなものです。

中身は「乳酸菌、酵母、光合成細菌などの微生物が一緒になっている共生体」ということですが、何がどのくらいあるのかという組成がはっきりしていません。調べてみると、肝心の光合成細菌が含まれていないという報告があります。乳酸菌は含まれているので、その働きはあります。

比嘉氏は、EM菌は生ごみ処理、水質改善、車の燃費節減、コンクリートの強化、あらゆる病気の治癒などに効果があるというようになりました。「EMは神様」だから「なんでも、いいことはEMのおかげにし、悪いことが起こった場合は、EMの極め方が足りなかったという視点をもつようにして、各自のEM力を常に強化すること」が勧められています。

EM菌に囲まれた場所は「結界」（宗教用語＝聖なるものを守るためのバリア）になり、たとえば沖縄本島はEM結界になっているので、台風がそれたり、被害が少なくなるなどと述べています。

EM菌賛同者によって川・湖・海にEM菌を団子状にして投げ込む活動が行われていますが、それに対し、「環境浄化の根拠が弱く、環境汚染の可能性すらある」などの批判があります。

第2章

昼から夕方に出合う
「科学」

Q-13 飛行機はなぜ空を飛べるのか？

天気のよい空を見上げると飛行機が飛んでいることがあります。旅行や出張などで飛行機に乗ったことがある人も多いでしょう。でも、なぜあんな大きな乗り物が空を飛べるのでしょうか？　その理由を考えてみましょう。

◎ 100年経っても続く論争

　ライト兄弟が初飛行をしてからすでに100年以上が過ぎた現在も、「大きな飛行機が空を飛べるのはどうしてなのか？」というのは興味深い問題です。

　飛行機が飛べる理由は、翼の上側で圧力が低く、下側で高くなるという**圧力差**ができ、飛行機全体にかかる力としては上向きの力、揚力が働くためです。これにより飛行機は浮き上がります。

　飛行機は、離陸するために**迎え角**といって、飛行翼を進行方向に向かって前上がりになった状態でスピードを上げます。このとき、飛行翼の下側では、空気が下向きに押し下げられます。空気もまた、同じだけの大きさで向きが反対の力を飛行翼へ及ぼすので（作用反作用の法則）、飛行翼は下側を通る空気によって、上向きの力を受けます。これが**飛行翼を下から押す力になります**（このとき飛行翼の下側の空気の圧力は高くなります）。

　では、飛行翼の上側ではどんなことが起こっているのでしょうか。空気の流れを人工的につくり出す装置の中にたくさんのセンサーをつけた飛行機や飛行翼のモデルを入れ、測定した結果から、飛行翼の上側では下側よりも空気の流れが速くなり、圧力が低い部分、飛行翼を上から押す力が弱くなる部分ができることがわかっています。しかし、それがどういうしくみで起こっているのかは、まだ明確にはわかっていません。

図1　飛行翼の周りの空気の流れと揚力

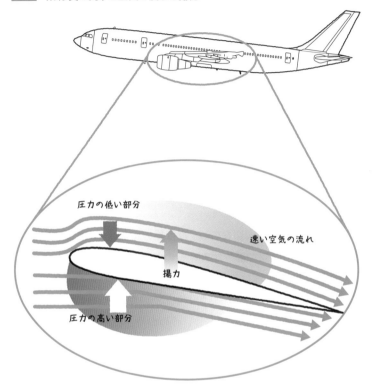

圧力の低い部分

速い空気の流れ

揚力

圧力の高い部分

下向きに押し下げられた空気の流れは、同じだけの大きさで飛行翼を上に押し上げる

◉ 正確ではない説も広まっている

　飛行機の飛ぶ理由について、**とてもよく広まっているけれど正確ではないもの**に「ベルヌーイの定理による説明」があります。その内容を簡単に説明すると、「飛行翼の上側は下側よりも空気の流れが速くなるために、上側は下側よりも圧力が低くなる。そのため、飛行翼全体としては上向きの力を受ける」というものです。これは、先に書いた状況を、一見よく説明しているように思えます。

　確かに、ベルヌーイの定理は、空気や水のような、簡単に形を変えて、流れるように動く性質をもつものの「エネルギー保存の法則」です。ですから、「流れの速度が大きくなると圧力は小さくなる」という関係が成立するといっています。しかし、これまでの話からわかるように、大切なのは「**飛行翼の上側では、なぜ空気の流れが速く、圧力の低い部分ができるのか**」という理由です。

　ベルヌーイの定理は「空気の流れが速くなったのなら圧力は小さくなる」、または「圧力が小さくなったのなら流れは速くなる」という結果は支持してくれますが、**肝心の理由は一切説明していません**。

◉「飛行翼の後端が尖っている」ことが重要

　飛行機が飛ぶための揚力を生み出す飛行翼は、「**クッタの条件**」（**ジュコフスキーの仮定**）という条件を満たす必要があることがわかっています。それは、**飛行翼の後端が尖っている**ということです。そうした飛行翼では、前端で飛行翼の上側と下側に分かれた流れが、飛行翼の後端でもう一度なめらかに合流することがわかっています。クッタとジュコフスキーというのは、このことを別々に発見したドイツ人（マルティン・クッタ）、ロシア人（ニコライ・ジュコフスキー）科学者の名前です。

図2 ベルヌーイの定理は「エネルギー保存の法則」が本質

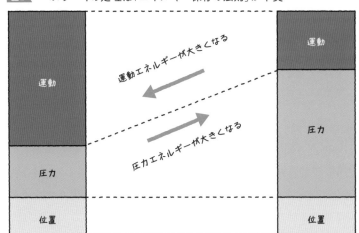

ベルヌーイの定理は「流体のもつ運動エネルギー、圧力エネルギー、位置エネルギーを足し合わせたものは変わらない」というもの。「飛行翼の上側で、どうして流れの速度が速くなり、圧力が小さくなるか」については一切説明できない

図3 クッタの条件を満たす飛行翼と、その周りで観測される空気の流れ

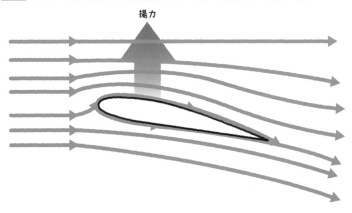

飛行翼の前端で上下に分かれた流れは、後端でなめらかに合流している。このような状況で揚力が生み出される

旅客機は濃霧で視界が悪くても なぜいつも安全に着陸できるの？

ひどい悪天候でも旅客機が安全に着陸してほっとした経験はないでしょうか？　旅客機は濃霧などで視界が悪くても安全に滑走路へ着陸し、停止できるしくみがあります。そのしくみを調べてみましょう。

◎ 視界が悪いのに着陸できるのは電波のおかげ

　空港は管制官が置かれている空港と置かれていない空港があります。管制官が置かれていない空港（飛行場）に着陸する場合、操縦士は指定された無線の周波数で自機の位置を通報しながら着陸します。

　管制官が置かれている空港に着陸する場合は、無線通話で滑走路への進入方位および進入高度を誘導され、最終の着陸コースに入ります。ここでは主に後者について説明します。

　滑走路に近づいて、滑走路への進入コースに入ると、電波で着陸に必要な**3次元の情報**が旅客機に送られてきます。旅客機に送られてくるのは、滑走路中心線からのズレを知らせる**ローカライザー**と、傾斜角3°の降下経路からのズレを知らせる**グライドスロープ**の2種類の電波です。

　この電波を使って滑走路に精進に進入し、着陸する方法を**計器着陸装置**（**ILS**：Instrument Landing System）といいます。ILSは定期旅客便が離着陸する多くの空港に備わっています。

　なお、着陸の風景が機内で見られるときは、滑走路脇に赤と白の4灯（精密進入経路指示灯）を確認できます。外側2つが白、内側2つが赤に見えれば理想的な進入角で進入していることを示し、赤が多ければ降下コースより低く、白が多ければ降下コースより高いことを示しています。

図1 計器着陸装置（ILS）の概要

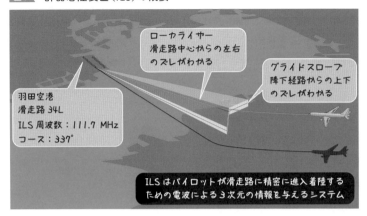

ローカライザー
滑走路中心からの左右
のズレがわかる

グライドスロープ
降下経路からの上下
のズレがわかる

羽田空港
滑走路 34L
ILS 周波数：111.7 MHz
コース：337°

ILS はパイロットが滑走路に精密に進入着陸する
ための電波による3次元の情報を与えるシステム

図2 精密進入経路指示灯

地上から撮影しているので、4灯とも赤く見える

◎ カテゴリーⅢbが使える滑走路は自動着陸できる

ILSは、精度の低い順にカテゴリーⅠ、Ⅱ、Ⅲa、Ⅲb（釧路空港、新千歳空港、青森空港、東京国際空港（羽田空港）、成田国際空港、中部国際空港、広島空港、熊本空港）、Ⅲc（日本にはない）があります。

最も精度が低い**カテゴリーⅠ**の滑走路では、滑走路視距離（滑走路上を見通せる距離）が550m以上ないと着陸できません。決心高（着陸するかやり直すかを決める高度）も60m以上です。

次に精度がよい**カテゴリーⅡ**では、滑走路視距離が350m以上でよく、決心高も30m以上となります。

現在、日本国内で使用されている最も高度なILSである**カテゴリーⅢb**が導入されている滑走路では、滑走路視距離が50m以上200m未満で、決心高は設定されていないか15m未満です。カテゴリーⅢbの場合は、自動着陸（オートランディング）で着陸することができます。

◎ ILSは悪天候以外でも役に立つ

ILSは、悪天候で視界が悪い場合だけでなく、機体の故障で引き返す場合や、緊急に最寄りの不慣れな空港へ着陸する場合など、パイロットに余裕がないときにもとても有効なシステムです。

なお、複数の滑走路がある空港の場合、すべての滑走路に同じカテゴリーのILSが導入されているとは限りません。特定の滑走路のみ、または同じ滑走路でも一方向だけに精度が高いカテゴリーのILSが設置されていることがあります。

たとえば、東京都の羽田空港では、C滑走路に南側から進入（北向きに着陸）する34RはカテゴリーⅢbを利用できますが、逆の16Lは利用できません。

図3 ILSカテゴリーⅠ

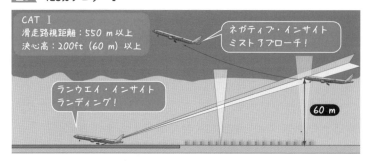

図4 ILSカテゴリーⅡ

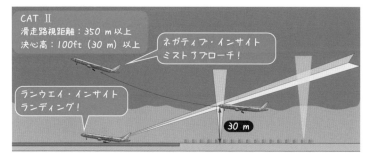

図5 ILSカテゴリーⅢb

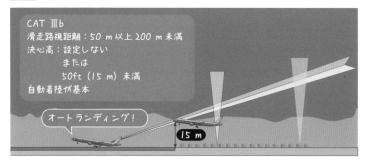

携帯電話の音声は本物ではない？

スマホから聞こえてくる声は、本物の声のようにリアルな音声です。しかし、本当はどうなのでしょうか。スマホから聞こえてくる家族や友人、同僚などの声の秘密を探ってみましょう。

◎ アナログ方式より明瞭に会話できるデジタル方式

もともと電話は、電線でつながっていました。電話では、しゃべった声がマイク（送話器）によって直接電気信号に変えられ、電線を通じて相手に送られます。その信号がスピーカー（受話器）で音の振動となって、耳に伝えられていました。これが、アナログ方式の伝送方法（図1）です。

アナログ方式は、信号化するしくみ・伝送するしくみがシンプルで扱いやすいのですが、遠くに伝えようとするとノイズが多くなり、音質が劣化してしまいます。

そこで考えられたのが、音の信号をデジタル信号である0と1の信号の集まりに変換して送る方法です。音の波形からデジタル信号を生成して送り、受け手側では、それを再び音の波形に戻すのです。この方式だと扱う信号が0と1だけなので、ノイズが途中で入ったとしても容易に取り除くことができ、**クリアなデータを伝える**ことができます。

◎ 音声は事前に登録された声の波形データから作成

スマホの世界で現在主流になっているデジタルのデータ転送方式は、CELP（Code Excited Linear Prediction：符号励振線形予測）方式です（図2）。CELP方式では、まず人の音声を分析し、**コードブック**という辞書のようなもの（データベース）をつくります。こ

図1 アナログ方式の伝送

送り手の音声は、音の振動から
マイクによって直接、電気信号
に変換される

電気信号はそのまま電線を伝わる。
そのため、ノイズが入ると信号が弱
くなったり、失われたりしてしまう

受け手側では、電線を通じて送られてきた電気信
号でスピーカーを振動させて、音の振動を再現する

のコードブックは、固定コードブックと呼ばれ、**43億パターンの声の波形データが登録**されています。

　スマホに向かって話すと、音声が分析されます。入力された音は、波形データと振動データに分解されます。波形データは、データベース上で照合され、どの波形なのかを示す番号に変換されます。

　入力された音声がどの波形データに似ているのかを瞬時（0.02秒間）に解析し、最適化しながらコード化するのです。そして、その番号が0と1の2進数に変換されます。振動データも数字に変換され、さらに2進数に変換されます。

　この0と1へのコード化の過程を**エンコード**といいます。この方式では、音声データを直接デジタル化するわけではないため、データは1秒あたり8キロビットと、かなり小さくできます。

　回線を通じて送られてきた0と1の符号は、受け手側で解析され、波形データがデータベースで探索されて、音の振動データを付加し、限りなく送り手の声に近い声が合成されます。この過程を**デコード**と読んでいます。

◎ CELP方式はコンピュータの発達により実現

　この技術が実現したのは、コンピュータの性能が近年、急速に発達したことも重要な要素です。この方法が開発された1983年当時は、「スーパー・コンピュータ」といわれたクレイ・リサーチのクレイ1でも、計算に150秒もかかってしまいました。とても実用にはならなかったわけです。

　しかし現在では、もっと高性能なコンピュータが手のひらに乗るくらい小さくなり、かつ安価になったため、CELP方式が身近な技術になったのです。

図2 デジタル方式の伝送

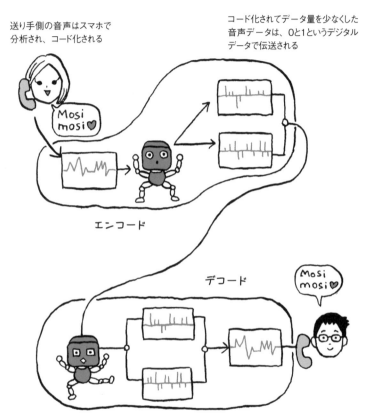

送り手側の音声はスマホで
分析され、コード化される

コード化されてデータ量を少なくした
音声データは、0と1というデジタル
データで伝送される

エンコード

デコード

受け手のスマホで0と1の符号が解析され、データベースで探索された波形データに振動データ
を付加して声を合成する

インターネットで使われる 光ファイバーのしくみは？

総延長100万km以上の光ファイバー網でつながるインターネットは日常生活で欠かせないインフラです。世界中に光の点滅信号を伝える光ファイバーは、どのようなしくみなのか考えてみましょう。

◎ 組み合わせたガラス線に光を閉じ込めて伝える

通信の情報量は「短時間にどれだけ多くの点滅信号を送れるか」で決まります。しかし電気を通しやすい金属線で電気信号を伝える場合、高速点滅が可能な高振動数の電気信号だと損失が大きく、高速通信には不利です。

そこで、高振動数の電磁波である光を利用します。電気を通しやすい金属線の代わりに、光を通しやすいガラスやプラスチックの細線を使って、狙った場所に光を導くのが**光ファイバー**です。

ですが、「光を通しやすい＝光が漏れる」ので、何とかして光を光ファイバーの中に閉じ込める必要があります。光ファイバーを鏡で覆い、反射させて閉じ込めても、鏡の反射率は100％ではないので光が弱くなり、遠くまで届きません。

そこで、**全反射**という光の性質をうまく利用します（図1）。光速は光が通る物質によって異なり、光速が異なる物質の境目では屈折や反射が起きます。

全反射とは、屈折の限界を超えると光が出ていけなくなり、すべて反射されるという性質です。

光ファイバーは、図2のように屈折率の大きなガラス線を、屈折率の小さなガラス線の中心に埋め込む構造になっています。中心のコアの中で光が全反射して閉じ込められながら遠くまで伝わるしくみです。

図1　全反射とは？

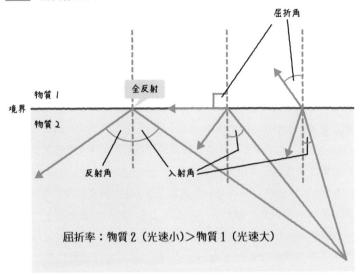

屈折率：物質2（光速小）＞物質1（光速大）

光速が異なる物質の境界では、屈折と反射が起きる。屈折角が90°に達すると、屈折して物質1に入る光はなくなり、すべての光は反射して物質2に閉じ込められる。これを全反射という

図2　光ファイバーの構造

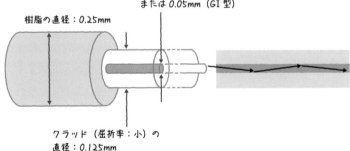

コア（屈折率：大）の直径：0.0092mm（SM型）または0.05mm（GI型）

樹脂の直径：0.25mm

クラッド（屈折率：小）の直径：0.125mm

光ファイバーは屈折率の大きいコアの周りを、屈折率の小さいクラッドで囲んだ同心円状のガラス線。全反射を利用してコア内に光を閉じ込めて伝える。ガラスの周りは樹脂で保護されている

◎ 光の点滅信号を遠くまで伝えるために

光ファイバーの中に光を閉じ込めても、光の高速点滅を遠くまで伝えるにはいくつかのハードルがあります。

1つはガラスの透明度です。ガラス中の不純物や欠陥が原因で光が吸収・散乱されて光が弱くなると、長距離通信には使えません。普通の窓ガラスだと、3cmの厚みを光が透過する間に、明るさが半減します。しかし、ガラスの合成法を改良した光ファイバーは、15kmでやっと半減する程度の驚異的な透明度です。ガラス製造法の進化はすごいものがあります。

もう1つは光の点滅のズレの問題です。光が減衰しなくても、光ファイバー中の光の経路長に差があると、光が到着するまでにかかる時間が変わり、発信側で同時に点滅した光が、受信時には点滅のタイミングがずれてしまいます（図3）。高速点滅で情報を伝えるときには深刻な問題です。

それを防ぐために、**グレーデッドインデックス（GI型※）やシングルモード（SM型）**といった方法をとっています。GI型は、コアの屈折率を中心から外に向けて徐々に小さくして光速を変化させ（屈折率が小＝光速が大）、経路が短い中心付近を遅く、経路が長くなる外側を速くすることで、到着時刻に差が出にくくします。SM型はコアを0.01mm以下の極細ガラスにすることで、光路差をほぼなくしています。GI型は取扱いが楽なのでオフィス内での接続に使われ、損失の小さいSM型は長距離の幹線網に使われています。

また、光の波の位相（波の上がり下がりのタイミング）や波長が揃った明るい光でないと、光ファイバーの中で高速点滅がぼやけてしまいます。そこで活躍するのが、Q-21で紹介するレーザー光です。赤外線半導体レーザーにより、波長と位相の揃った非常に明るい細い光を、極細ガラスに通せるようになりました。

図3 光ファイバーの種類と光の進み方

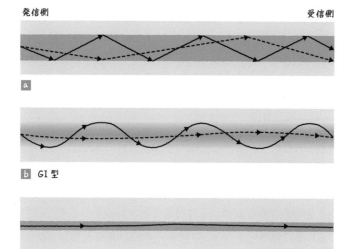

コアの太さによって種類が異なり、
光の進み方が異なる

発信側　　　　　　　　　　　　　　　　　　　　　　　　　　　受信側

a

b GI 型

c SM 型

光ファイバーはコアの太さによって種類が異なる。コアが太いと a のように光の反射経路が複数できる。実線の光は点線の光よりずっと長い距離を走るので到着が遅れ、発信側で同時に点滅した光が、受信側で点滅のタイミングがずれてしまう。そこで、b ではコアの屈折率を中心から外に向けて徐々に小さくし、光速を速くする。最短距離を進むコアの中心付近で光速が遅くなり、遠回りする外側で光速が速くなることで到着のタイミングを揃える（GI型）。少しずつ屈折が変化するので、カーブしながら光が伝わる。コアの直径を9.2μmの極細にして、ほぼ光路差をなくしたのが、c のSM型。長距離高速通信の幹線網にはSM型が使われている

※西澤潤一（元・東北大学総長）発案による巧みなしくみで、コアが太くても高速通信に対応できる。コアが太いので光ファイバーの取扱いが楽になり、短距離の室内配線などで多く使われている。

なぜ「ワイヤレス（無線）マウス」は自由自在に正しく動くのか？

毎日、パソコンをマウスで操作する人は多いでしょう。ワイヤレス（無線）マウスは、どうやってパソコンに自分の位置や動きを伝えて、「マウスポインタ」を動かしているのか考えてみましょう。

◎ 現在の主流は「光学マウス」

「**マウス**」とは、米国の発明家ダグラス・C. エンゲルバートによって1960年代半ばに考案された、コンピュータの操作用具です。手のひらに収まる小型の機械を動かすことで、画面上の「マウスポインタ」を動かします。当初は、ボールの動きを縦横それぞれの回転軸の動きに変え、電気信号に変換して、画面の縦方向・横方向の動きとして再現するものでした。

現在、普及しているのは**光学マウス**（図1）。これは、ボールの代わりに**光学センサーで移動量を検出**しています。光学センサーは小さな「カメラ」のようなもの。机などの表面に光を当てて、跳ね返ってきた光のわずかな変動から移動量を読み取っています。光学マウスは、光源の種類によって、読み取り面の材質との相性、読み取り精度、電力消費量（電池のもち）などに違いがあります（図2）。

◎ 場所を選ばず使えるようになった

ボールを転がさない光学マウスは重力の影響を受けないので、壁面など平滑な場所があればよく、ボールを転がりやすくしたマウスパッドなどもいりません。紙や布の上でも使えます。さらに、すき間にゴミが入り込むこともなく、掃除（メンテナンス）の手間も不要です。コンパクトに設計できて高精度、コストパフォーマンスも良好です。

図1 光学マウスのしくみのイメージ

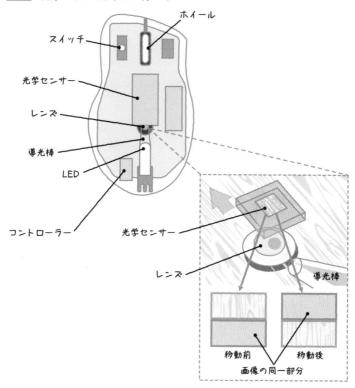

図2 光源の違いによるメリットとデメリット

光源	メリット	デメリット
赤色LED	可視光なので安全。 低消費電力、低価格	波長が長いので精度が低い。 ガラスや光沢面では誤作動も多い
青色LED	赤色LEDより波長が短いので 精度が向上。光沢面でも使える	消費電力が大きく、電池交換や 充電の回数が増える
赤外線レーザー	精度が高く、動作面を選ばない	安全のためセンサー部が大きく浮くと 動作しない。本体が大きく、重め

これを無線化したものが、**ワイヤレス(無線)マウス**です。**ケーブルの代わりに電波を利用**するので、電波が届く範囲なら場所を選ばずに使えます。

◎ 電子レンジと同時に使うと誤動作することも

学校のパソコン教室など、狭い範囲で複数のワイヤレス機器を動かすような場合は、互いの電波が混信して誤動作したりしないよう、パソコンなどとワイヤレスマウスが1対1の関係になるよう設定(**ペアリング**)しなければなりません。あるいは、最初から同じID(固有パターン)をもつ子機とセットになっている無線方式の製品を使うのです(図3)。

また、無線(電波)の周波数帯域の特性も少し知っておきましょう。Bluetooth方式と2.4GHzワイヤレス方式は、**電子レンジが食品を温めるときに使うマイクロ波と同じ周波数を通信に利用**しているため、近くで電子レンジを動作させると、ワイヤレスマウスが**誤動作する**ことがあります。

◎ 応答性のよさはケーブルマウスに軍配

ワイヤレスマウスは、ケーブルを介して電力を供給できないので、乾電池や充電池(バッテリー)が必須です。乾電池タイプと充電池タイプがありますが、それぞれメリット・デメリットがあるので、使い勝手やコストを考えて選びます(図4)。

便利なワイヤレスマウスが多くのシーンで使われるようになりましたが、電波への変換や信号処理にはわずかながら時間を要します。そのため、**操作の応答性が重要視される状況**、たとえば、株や為替などの金融商品取引やアクションゲームなどでは、昔ながらの**ケーブルマウス**が重宝されることもあります。

図3 ワイヤレスマウスの無線方式の違い

Bluetooth方式

ノートパソコン、タブレット、スマホなど多くの機器がレシーバー機能をもっている。マウスを正しくセット登録（ペアリング）しないと動かないが、汎用性がある

写真提供：バッファロー

2.4GHzワイヤレス方式

レシーバー →

27MHzワイヤレス方式

使い勝手は2.4GHzワイヤレス方式と同じだが、電波の届く範囲が狭い（半径1m程度）ため、レシーバーから遠ざけると使えない。メリットは安価で低消費電力であること

最初からペアリング済みのレシーバー（小さなUSB接続機器）が用意されていて、それをパソコンなどのUSBポートに差し込めば使える

写真提供：バッファロー

図4 電源方式の違い

乾電池タイプ

単三型・単四型乾電池×1〜2個を使用。電池が長もちで、交換すればすぐに使える。電池は手に入れやすいが、マウス本体がやや重く、かさばる

充電バッテリー内蔵タイプ

USBケーブルでパソコンと接続して充電し、その後にワイヤレスで使用する。専用台に置くだけで充電できるタイプもある。小さく軽いが、こまめな充電が必要

写真提供：ロジクール

ポスト・イットがすぐはがれるワケは？

メッセージタイプをはじめ人気のポスト・イットは、好きなときに貼って、いつでもはがすことができます。職場などで重宝している人も多いでしょう。貼ってすぐにはがせるのはどのようなしくみか調べてみましょう。

◎「接着剤の失敗作」がきっかけ

「のりつき付せん紙」として便利な「ポスト・イット」は、米国の化学メーカー「3M」で開発された商品です。

開発は失敗からはじまりました。粘着力の強い接着剤をつくっていたとき、失敗して粘着力の弱い接着剤ができてしまったのです。粘着力が弱いため通常の接着剤としては使いものになりませんから、このときはお蔵入りになりました。

ところが5年後、この粘着力の弱い接着剤に注目した同社の研究員がいました。「粘着力が弱くはがれてしまうなら、貼ったあと、きれいにはがしたいような目的の付せん紙として使えるのではないか」と考えたのです。**はがれることを逆手に取った逆転の発想**です。

「貼って、はがせる」といっても、すぐにはがれてしまったり、よくあるシールのように、貼ったあとなかなかきれいにはがせないようでは役に立ちません。通常はきちんと粘着していて、はがしたいときはきれいにはがせるようにならなければ商品になりません。「貼られているときはきちんと粘着する適度な粘着性」「不要になったとき、きれいにはがせる」という2つを求めた研究がはじまりました。

◎ 接着剤の形を工夫してはがしやすくした

粘着性の強度は、さほど特徴的なものではありません。主成分は

図1 ポスト・イットの粘着面のイメージ

真上から見たイメージ　　　　　　　真横から見たイメージ

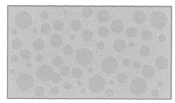 

大小さまざまな球形、半球形の接着剤が接着面に用いられている

図2 ポスト・イットを貼るとき

ポスト・イット

接着剤

貼られるもの

貼られるものはポスト・イットの接着剤と1点でくっついている

図3 ポスト・イットを少し押しつけたとき

ポスト・イット

接着剤

貼られるもの

球形または半球形の接着剤が押しつぶされ、貼られるものとの接触面積が大きくなり、強く接着する。ただし、この場合でもポスト・イット側の接着面のほうが貼られるもの側の接着面より大きいので、ポストイット側がはがれることはない

普通のアクリル接着剤です。アクリル接着剤にいろいろ混ぜて目的の強度に調整しているものと思われます。

大きな特徴は**接着剤の「形」**です。ポスト・イットは、はがしたいときにきれいにはがれるようにするため、接着剤の形を工夫し、**球形**または**半球形**にしているようです。はがせるタイプではない商品に使われている接着剤は、接着面に特定の形はなく、全体の接着剤が強くくっついています。

貼られるものにポスト・イットを軽く接触させると、ポスト・イットの接着剤は球形または半球形なので、面ではなく「1点」でくっつきます。この時点では、貼られるものとの接触面積が小さく、粘着力が弱い状態です。

続いて、貼りつけたポスト・イットを上から押すと、球形または半球形の粘着面が押しつぶされ、貼られるものとの接触面積が増えて強く接着します。

ポスト・イットの端をもち上げてはがすときは、接触面の一番端の接着剤から、つぶされた形が球形に戻っていき、最終的には1点で接触している状態となってはがれます。ポスト・イット側の接着剤ははがれず、貼られているもののほうだけがはがれるようにするには、たくさんのノウハウがあるようです。

◎ ポスト・イットの種類はさまざま

ポスト・イットは、使い勝手のよさで人気のメッセージポインターをはじめ、強粘着タイプ、ポップアップタイプ、ロールタイプ、再生紙使用タイプなどが販売されています。また、デザインもキャラクター商品、ハワイをイメージしたもの、ハートなどのシルエットものなどさまざまで、身近に置いておくだけで楽しくなるかもしれません。

図4 ポスト・イットをはがすとき

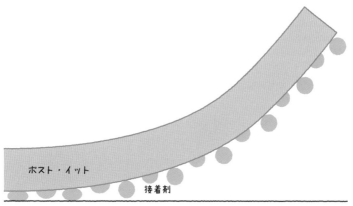

ポスト・イットの端をもち上げてはがす。接着剤はつぶされた形から球形に戻っていき、1点で
接触している状態になり、粘着力が低下してはがれる

図5 強粘着タイプ

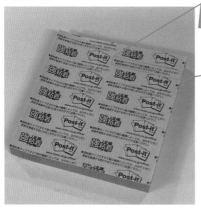

強粘着タイプには「紙の種類によっては、
はがすときに表面を破損する恐れがある」
との注意書きがある

消せるボールペンのしくみは？

消せるボールペンからはじまって、蛍光ペン、色鉛筆まであるパイロット
インキのフリクション（frixion）。frixion のもともとの意味は「摩擦」です。
「ボールペンなのに消せる」のはなぜか考えてみましょう。

◎ 消せるボールペンのインクは3つの成分でできている

　最初に開発されたのは温度で色が変わるインク「メタモカラー」
です。1975年のことです。メタモカラーは、さまざまな製品で「温
度を色で示す」ことに使われていました。たとえば、色の変化で
ビールやワインのおいしい飲みごろを示すラベルなどです。次に
取り組んだのが、「温度により無色透明になるインク」である**フリ
クション**でした。その成功は2005年のことです。

　それまでのボールペンのインクは、修正しようとすると大変な
手間がかかりましたが、フリクションでは、その手間がなくなり、
鉛筆のように簡単に消せるようになりました。

　なぜ、**消えないはずのボールペンのインクを消すことができる**
のでしょうか。

　フリクションには**マイクロカプセル**と呼ばれる小さなカプセル
が入っていて、色素の役割をしていています。マイクロカプセルに
は、①発色剤と呼ばれる成分（発色のもととなる成分）、②発色さ
せる成分、③変色温度調整剤（何度で発色させるか、発色をやめさ
せるかを指示する成分）と呼ばれる3つの成分が入っています。

　通常の温度では、マイクロカプセル内の発色剤と発色させる成
分が結合して発色しています。高温にすると変色温度調節剤が働
いて、発色剤と呼ばれる成分と発色させる成分の結合を切るので
発色しなくなり、色が消えるのです。パイロットのフリクションは

図1　消えるインクのからくり

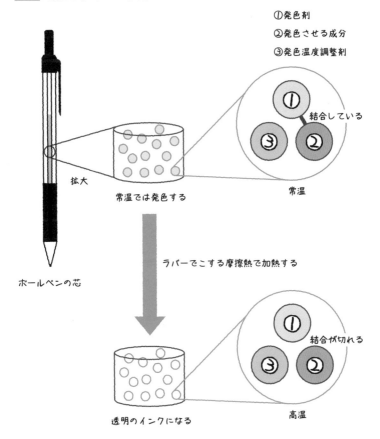

①発色剤
②発色させる成分
③発色温度調整剤

結合している

常温では発色する

常温

拡大

ボールペンの芯

ラバーでこする摩擦熱で加熱する

結合が切れる

透明のインクになる

高温

65℃で発色剤と発色させる成分の結合が切れて発色しなくなります。メーカーによっては、もっと低い60℃で発色しなくなるものもあります。

鉛筆の筆跡を消す消しゴムは、紙にこびりついた黒鉛をはぎ取っているのですが、フリクションはインクをはがして筆跡を消しているわけではありません。**常温から温度が65℃に上がると無色透明になる性質**によるものです。

◎ 熱で「見えなく」している

では、どのようにして温度を上げるのでしょうか。ボールペンの後部についている専用ラバーでこするのです。この摩擦で生じる**摩擦熱**を利用します。夏場の車の中など60℃を超えるような場所に置くと、消えてしまうことがあります。また、フリクションで書いた紙をパウチ（ホットラミネート）すると字が消えてしまいます。パウチは、ポリエチレンでできたクリアフォルダのような透明な素材に印刷物をはさみ込み、熱圧着するので温度が上がってしまうからです。この特性により、フリクションは証書類や宛名など「消えると問題があるもの」には使えません。

◎ 冷却すると復活することもある

フリクションは常温に戻っても色が復活することはありませんが、- 20℃以下で復活します。強い冷却効果のあるスプレーをかけたり、冷凍庫に入れたりすると復活することがあります。ドライアイスで冷やせば復活するでしょう。消したはずのメモを復活させられてしまうのが心配なら使わないほうがよいでしょう。ちなみに本書の担当編集者は、長年フリクションを愛用し、本書の赤字もフリクションで入れているそうです。

図2　消せるボールペンのインクは消える温度と復活する温度の差が大きい

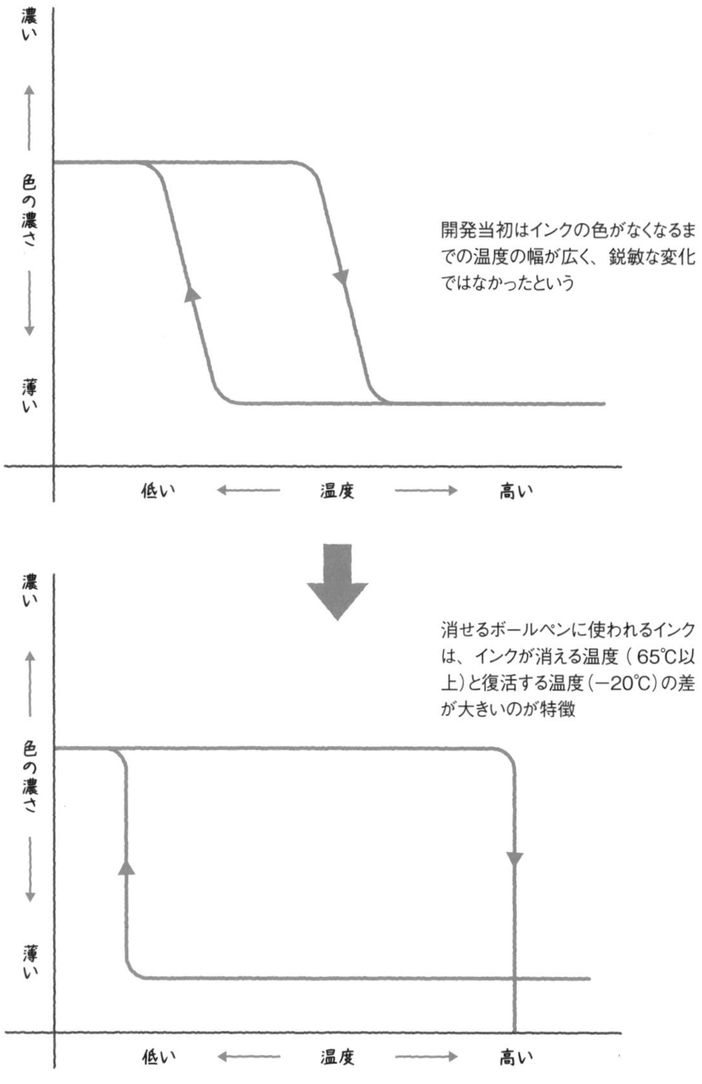
濃い
色の濃さ
薄い
低い
温度
高い
開発当初はインクの色がなくなるまでの温度の幅が広く、鋭敏な変化ではなかったという
濃い
色の濃さ
薄い
低い
温度
高い
消せるボールペンに使われるインクは、インクが消える温度（65℃以上）と復活する温度（－20℃）の差が大きいのが特徴

参考：パイロットインキウェブサイト

会社のトイレはひとりでに流れるけど、どうしてなの？

男性用の小便器の前を通り過ぎても水は流れません。しかし、小便器の前に一定時間立ち、その後離れると、水が流れます。これはどういうしくみか考えてみましょう。

◎ 小便器の管理は意外と大変

小便器には液体（尿）しか流れないので、詰まりにくいように感じますが、そうでもありません。原因は**尿石**です。尿中のカルシウム分がトラップ（臭いを防ぐ水溜）や排管内に付着し、詰まりや悪臭の原因になるのです。付着させないためには、洗い流すしかありません。

学校などの施設に水洗トイレが導入されたころ、尿石を防ぐために高いところに水タンクがつけられ、一定時間ごとに水を流して便器を清掃していました。

しかし、使っていない便器にも水を流すので「もったいない」ということで導入されたのが、押しボタンで洗浄水を流す方式でした。しかしこのボタン、めんどうくさがって押さない人や、使用直後にみんなが押すので「不衛生」と考え、押すのをためらう人もいました。

◎ 人を検知する人感センサーで予備洗浄

1970年代に入ると**人感センサー**が導入されました。人が便器の前に立ったことをセンサーで検知し、一定時間いると使用中と判断します。そして、立ち去りを検出してから給水バルブを開けて水を流します。使われた便器だけを自動で洗浄できるので、節水にもなりました。

図1 一定時間ごとに一斉に水を流して便器を洗浄

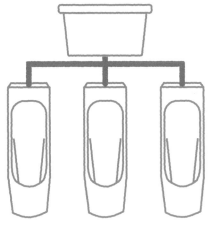

尿石を防ぐため、一定時間ごとに一斉に便器に水を流して清掃する。使われていなくても水が使われるのでもったいない

図2 ボタン式と人感センサー

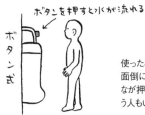

使ったときだけ水が流れるので節水になったが、面倒に感じて押さない人や、使用直後にみんなが押すので「不衛生」に感じて押すのをためらう人もいたので洗浄できないこともあった

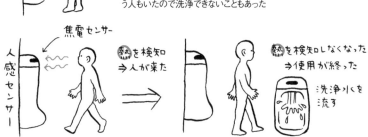

人感センサーにより確実に洗浄ができるようになった

　人感センサーには、人が発する熱（赤外線）を検知することができる焦電センサーや、距離を測定することができる距離センサーなどが使われていました。

　小便器の前に立っただけで、水が流れることがあります。**予備洗浄**と呼ばれていて、使用前に少量の水で洗浄することで、尿の飛沫が付着するのを予防しています。

　また、洗浄中に次の使用者を感知すると洗浄を中止して、節水する機能をもった機器もあります。

　さらに、配管の中を流れる水の勢いを利用して発電・充電する、電源の配線が不要なタイプもあります。

　誰もいないトイレで水が流れることがあります。これはトラップの封水切れ防止や配管の尿石付着抑制のために、**最後に使用されてから数時間経過すると自動的に洗浄する機能**です。

　また、冬期の冷え込みによる凍結防止のために、外気温を検出して、一定間隔で水を流す機能をもったものもあります。

◎ 尿の量まで計測して節水するマイクロ波

　かつて、電波はセンサーに使えませんでしたが、2001年に電波法が改正されると、**マイクロ波**をセンサーに使うことができるようになりました。

　これにより距離や動きの検知精度が向上しました。また、マイクロ波は陶器を透過するため、赤外線センサーのような小窓はいらなくなりました。この結果、デザインの自由度も広がることになりました。

　マイクロ波は水分に対しても反応するので、実際に排尿をしている時間もわかるようになり、**尿量に応じた洗浄水量の制御で節水効果が向上**しました。

図3 洗浄水の流れを利用して発電

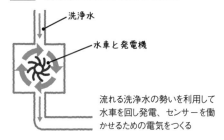

洗浄水

水車と発電機

流れる洗浄水の勢いを利用して
水車を回し発電、センサーを働
かせるための電気をつくる

図4 使っていない配管にも尿石が付着する

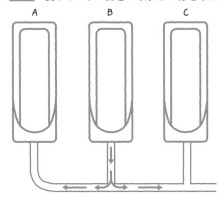

A　　　　　B　　　　　C

Bを洗浄した水が、使われていない
Aのほうにも流れて、Aの配管が汚
れてしまうことがある。その汚れを洗
い流すために、Aが最後に使われて
から一定時間経つとAに水が流れる

図5 マイクロ波を利用して、尿量に応じた量の洗浄水を流す

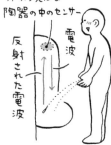

外から見えない
陶器の中のセンサー

電波

反射された電波

赤外線センサーでは、人がいることが検知できても、用をたし
ているのか、身支度を整えているのかなどの判断ができなかっ
た。しかし、マイクロ波は水分に対しても反応するので、実
際に尿を出している時間を正確に測れるようになり、洗浄水
の量の調節が可能になった

レーザーポインタから出る 「レーザー光」はどんな光？

会社のプレゼンなどで活躍するレーザーポインタ。アニメで「必殺技の
レーザービーム」に憧れた私は、「レーザー」という言葉に何やら夢を感じ
ます。そもそもレーザー光とはどんな光か考えてみましょう。

◎ 身近で活躍するレーザー光

　最近、**レーザー光**は身近な存在です。お店のレジのレーザーバー
コードリーダーの赤い光、コンサートの演出で飛び交う鋭い光線、
DVDプレーヤー、高輝度レーザープロジェクタの光源、医療に使
われるレーザーメスと、レーザー光はいろいろなものに応用され
ています。

　そもそもレーザー光と太陽や電灯の光は何が違うのでしょうか。
太陽や電灯の光には、赤や青などさまざまな波長の光が含まれて
います。太陽や電灯は、波長や方向や位相（波の上がり下がりのタ
イミング）がバラバラな光を、いろいろな箇所から放射しています
（図1）。

　波は重なるとき、山と山なら強め合い、山と谷なら弱め合う性質
（これを波の干渉といいます）がありますが、バラバラの波が合わ
さった太陽光は、たとえレンズで集光しても波がきれいに重なら
ず、光の密度を十分に高めることができません。

◎ 波長も位相も方向も揃った光の波の束

　一方、レーザー光は、その発生原理から、図1のように波長も方
向も位相もそろった、一様な明るい光の波の束になります。このよ
うに一様に結束した光を**コヒーレントな光**といいます。直進する
コヒーレントな光は広がりにくいため、バーコードリーダーや

図1 普通の光とレーザー光の違い

普通の光（太陽や電灯）

単色のレーザー光

大きさのある光源のいろいろな場所から、波長や位相（波の上がり下がりのタイミング）や向きがバラバラに放射される、さまざまな光の波の集まり（インコヒーレントな光）

波長も位相も向きもそろった、一様に結束して広がりにくく、エネルギー密度が高く、明るい光の波の束（コヒーレントな光）。レンズで微細な1点に集光させることもできる

図2 誘導放出のプロセス

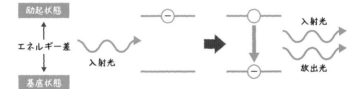

（電子のエネルギーが高い状態）

励起状態

エネルギー差

基底状態

（電子のエネルギーが低い状態）

入射光

入射光

放出光

①エネルギー差に応じた波長の入射光が、入射光の位相に合わせて励起状態の電子を揺らす

②入射光の位相に合わせて揺らされた電子が、入射光とまったく同じ光を放出しながら低いエネルギー状態へ落ちる。もとの入射光と合わせてコヒーレントな光が倍になる

励起状態と基底状態の間のエネルギー差に応じた波長をもつ光が入射すると、励起状態の電子が光に揺らされて、入射光とまったく同じコヒーレントな光を放出するのが誘導放出。誘導放出では、入射光と合わせて光が倍になる。コヒーレントな光であるレーザー光は、誘導放出を利用している

レーザーポインタなどに応用されています。また、レンズで微細な1点に集光できるので、干渉や集光を利用して、DVDプレーヤーやレーザーメスに応用されています。さらにレーザー光はエネルギー密度が高くて明るいので、光源としても利用されています。

◎ どうやってレーザー光をつくるのか

Q-42で解説する蛍光・蓄光では、電子が励起状態から基底状態へ移るとき、物質中の多数の電子が別々のタイミングで移るので、その光は、単色（同じ波長）でも位相がバラバラです。

しかし、励起状態と基底状態の間のエネルギー差に応じた波長の光を当てると、当てた光（入射光）の位相に合うように励起状態の電子が揺らされ、入射光と位相がそろった光を放出しながら基底状態へ移ることがあります。これを**誘導放出**といいます。誘導放出では、もとの入射光と合わせて、コヒーレントな光が倍増します（図2）。

レーザーはこの原理を利用します。さらに、誘導放出された光を反射鏡で物質中に戻せば、その光が次の誘導放出を引き起こし、ねずみ算的に同位相・同波長の光を増やすことができます（図3）。反射した光の位相がそろうような距離で2枚の反射鏡を置けば、反射を繰り返すうちに、位相がそろったとても明るい光が残ります。

斜めに反射する光は反射を繰り返すうちに打ち消されるので、反射面に垂直な方向に向きがそろった光だけがハーフミラーを通って出てきます（図3）。このようにして、**方向と波長と位相がそろった、エネルギー密度の高い明るい光の波束であるレーザー光**がつくられます。

この構造を発光ダイオード（LED）に付加すれば、レーザーポインタで使用されるコンパクトな半導体レーザーになります（図4）。

図3 反射鏡で誘導放出光がそろいながら増幅するイメージ

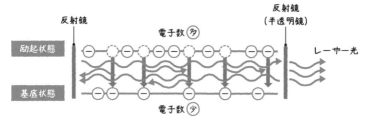

誘導放出した光が反射して戻ってくるときに位相がそろうように、距離を決めて反射鏡と半透明鏡（ハーフミラー）を設置する。その反射光が、励起状態にある多数の電子を、位相をそろえて揺らすことで、誘導放出光が次々と発生する。このようにコヒーレントな光がねずみ算的に増加する。それを半透明鏡から取り出した光がレーザー光になる。斜めに反射する光は反射を繰り返す間に打ち消され、半透明鏡からは反射面に垂直な方向にそろったコヒーレントな光だけが出てくる。誘導放出しやすいように、励起状態の電子数が多い「逆転分布状態」をつくっておく

図4 半導体レーザーのイメージ

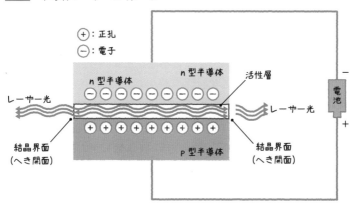

半導体レーザーでは、電池で電圧をかけ、n型半導体とp型半導体で挟まれた活性層に電子（−）と正孔（＋）を集め、逆転分布状態をつくって誘導放出を実現する。反射構造は半導体の結晶界面（へき開面）を利用してつくる。電流を供給し続ければ連続してレーザー光を発生できる。ただし、活性層のサイズが小さいため、出口でレーザー光が少し広がる。そこで、レーザーポインタでは「レンズ」を使って平行ビームにしている。電子と正孔のエネルギー差を調整すれば、赤外線から紫外線までの、さまざまな色の単色光レーザーがつくれる

屋外で光が当たると色が変わる サングラスのしくみは?

> 紫外線が当たると色が濃くなり、室内では無色透明になるサングラスがあります。色が変わるサングラスは、どのようなしくみなのか考えてみましょう。

◎ 光が当たると色が変わる調光レンズ

光で色が変わるレンズは、**調光レンズ**と呼ばれています。光を吸収すると色が変化する化学反応をフォトクロミック反応というので、**フォトクロミックレンズ**とも呼ばれています。

調光レンズは、紫外線が当たると色が濃くなり、サングラスのようになります。紫外線が当たらなくなるともとに戻って色が薄くなります。普通のメガネに戻るのです。屋外ではサングラス、室内では普通のメガネと、メガネをかけ替えることなく使えて便利です。

◎ 強い紫外線を浴びると分子形状が変わる

特定の波長の光を照射すると化学構造が変わり、照射をやめるともとの化学構造に戻る化合物があります。この化合物を**フォトクロミック化合物**といいます。フォトクロミック化合物は、変化した化学構造に応じて、吸収する光の波長が変わります。

フォトクロミック化合物の中には、紫外線が弱いと可視光線の波長が透過し（無色透明）、紫外線が強いと化学構造が変わって可視光を吸収する物質があります。可視光が全部吸収されると真っ黒になりますが、部分的に吸収されれば真っ黒にはならず、サングラス状態になります。

このようなフォトクロミック化合物をレンズに**コーティング**すると、紫外線を受けて分子形状が変化し、透明な分子形状Aから、

図1　調光レンズのしくみ

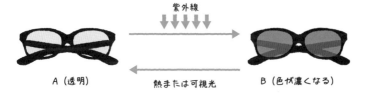

屋外でも可視光や熱で透明になるが、紫外線を浴びると色がすぐ濃くなる

常にAからB、BからAの反応が起きていて、色の濃さは「どちらが多いか」で決まる。紫外線の強さが同じなら、暑い夏より寒い冬のほうが色は濃くなる

図2　調光レンズの断面例

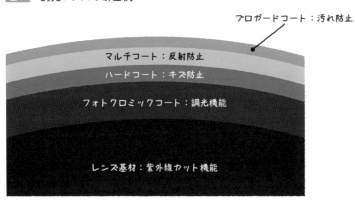

レンズに複数のコーティングをして、さまざまな機能をもたせている

可視光を吸収する分子形状Bに変化する調光レンズができます。分子形状Bは可視光を吸収するので、太陽光のまぶしさを防いでくれます。紫外線の量が少ない室内に入ると透明な分子形状Aに戻ります。発色に数十秒、退色に数分とすばやく反応します。現在では可視光でも色が変化するレンズができています。

◎ 紫外線（UV）をカットできないサングラスは危険

サングラスは、まぶしさから目を守ってくれます。まぶしいとき、人の目の瞳は小さくなって、入ってくる光の量を（紫外線も）制限しますが、サングラスをかけているとまぶしくないので瞳が小さくなりません。

このため、もしサングラスに「**紫外線（UV）カット機能**」がないと、強い紫外線で、目の網膜を痛めてしまいます。調光レンズは、紫外線（UV）カットレンズの上に感光物質をコーティングして、レンズの発色に左右されず、紫外線を吸収することができるようになっています。

◎ 夢の記録素材へ

フォトクロミック化合物は、紫外線が当たらなくなると、熱や可視光を吸収してもとの化学構造に戻ります。1988年、九州大学の入江正浩教授らが、常温で熱の影響を受けないフォトクロミック化合物「**ジアリールエテン**」を開発しました。

ジアリールエテンは熱の影響を受けないので、可視光を当てなければ長期間無色には戻らず、色の濃い状態を保ちます。つまり理論上、1つ1つの分子に情報を記録する究極の超高密度の光ディスクができることになります。実現すると、100万枚のDVDを1枚の光ディスクに記録できる「夢の記録素材」になります。

図3 サングラスに必要な紫外線（UV）カット機能

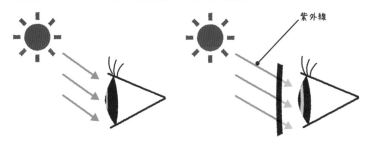

サングラスなし

まぶしいと目の瞳が小さくなるので、紫外線はあまり目の中に入らず、網膜は傷つきにくい

サングラスあり

まぶしくないので目の瞳が小さくならない。このサングラスに紫外線カット機能がないと、紫外線が目の中に入り、網膜を傷つけることもある

図4 ジアリールエテンの特徴

特徴①	AとBの化学構造は安定している。30℃で1900年間変化しない
特徴②	光着色 ⇄ 光退色の反応速度は10ピコ秒（千億分の1秒）以内と高速
特徴③	光着色 ⇄ 光退色の反応を1万回繰り返しても劣化しない
特徴④	単結晶でもフォトクロミック反応（光を吸収すると色が変化する化学反応）する。フォトクロミック反応は、分子構造を大きく変化させるので、結晶状態で反応する物質は少ない

「逃げ水」が見えるワケは？

よく晴れた日、「道の前方が水に濡れてキラキラ光ってる！」と思って近づくと水は消え、さらに遠くへ行ってしまう——地面が鏡のようになり、空が映っているのです。この逃げ水の正体を探ってみましょう。

◎ 水のように見えるものは何か？

逃げ水は晩春から夏にかけて、よく晴れた日に見られます。例として図1に挙げたように、アスファルトの道などで、目の位置を低くして遠くを眺めると、まるで水が一面にまかれたように見える現象です。近づくと水も一緒に動いているように見え、いくら追いかけても追いつけません。逃げていく「水たまり」です。この正体は**空**です。空から注ぐ光が地面近くで曲げられて地面の方向から目に達するため、私たちには「水」に見えてしまうのです。錯覚ともいえます。砂漠を行く人が遭難する原因にもなっています。

日中に道路の温度が上がると、その上はとても熱くなっています。70℃にもなり、手で触るとやけどするほどの高温になっていることはよくあります。当然、高温になった道路に接した空気の層も高温になります。空気は高温になると密度が下がります（低密度）。そして、道路から上に離れるにつれて、温度が30℃ほどに下がった空気層（高密度）が乗っている状態になります。空気がこのような状態のとき、逃げ水が見られるのです。

◎ 光が屈折して「下に凸」のカーブを描く

光は真空中では光速（約30万km/秒）で進みますが、空気中では速度が遅くなります。空気の密度が大きいほど速度は遅くなります。その遅くなる割合の逆数を**屈折率**といいます。密度が大きいと

図1 逃げ水

逃げ水は水ではなく、上空の空が映って「水のように見える」ものである　　　写真：こげら

図2 逃げ水のしくみ

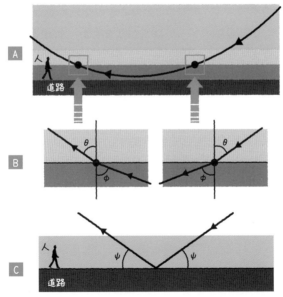

Aは全体図。Bはその各点で屈折の法則を適用したもの。Cはそれらを全反射していると考えた場合。「鏡」になっているともいえる

屈折率は大きくなるわけです。空気の屈折率は1.0003ほどです。

　図2の**A**を見てください。道路から離れるほど気温が下がり、空気の密度が大きくなるので、道路から離れるにしたがって屈折率は増加します。そのため、光は高密度層から低密度層のほうに曲げられ、「下に凸」のカーブを描きます。ここで、カーブの1点に注目すると、図2の**B**の右のように、「入射角 θ (シータ) に対して出射角 ϕ (ファイ) は、屈折率の変化によって変わる」という**屈折の法則**が成り立ちます。地面付近から上に向かう場合も、同様に屈折の法則が成り立ちます (図2の**B**の左)。

　このようにして図2の**A**と**B**を眺めると、図2の**C**のように、地面付近で完全な**全反射**が起こっているとみなすこともできそうです。「入射角 ψ (プサイ) は、反射角 ψ と等しい」という**反射の法則**で記述できそうです。実際は、そのときの空気の層の重なり方によって、より適切なイメージは変わりますが、「鏡がある!」という印象はうまい表現なのです。

◎ 蜃気楼も逃げ水と同じ原理で発生する

　「ものを見る」とはどういうことでしょう。目が光を感じるからですが、多くの場合、光は直進するので、「目に届いた光の延長線上にもとのものがある」と考えて脳は像をつくります。そのため、光が曲がってやってくると「異常な像」ができるわけです。図2の**A**や**C**で向かって左側の道路上にいる人の目には、空などの下に異常な像が現れることになります。これは**蜃気楼**(しんきろう)と呼ばれている現象の1つです。特に「**下位蜃気楼**」は全国各地で頻繁に観察されています。日の出や日の入りのときの太陽が「ダルマ型」に変形するのや、島影が浮き上がってしまう「浮島」と呼ばれる現象も下位蜃気楼です。図3や図4は典型的な例です。

図3 ダルマ太陽

地域により「ワイングラス型」「オメガ型」などといわれることもある。水平線付近の海面の乱れも蜃気楼である

図4 浮島現象

島全体が浮き上がって見える。島の上部が反転しているともいえる

Q-24 「生体認証」のセキュリティは本当に安全を守ってくれるの？

入場管理などで注目されているのが「生体認証（バイオメトリクス認証）」のセキュリティです。個人の特徴を用いて対象を正しく「その人である」と認める生体認証は安全なのか考えてみましょう。

◎ 生体認証は「身体的特徴」と「行動的特徴」の2種類

ここでいう生体認証とは、「今、目の前にいる人物が、あらかじめ登録した人物と同一かどうか」を機械的に判断するしくみや機能のことです。見比べる（認証する）のに、**個人の生体が特徴的にもっている違いを利用するので生体認証**といいます。

生体認証でよく知られているのが、指紋などの**身体的特徴**を利用するもの。この他、顔や声の特徴、身長や体重といった体つき（生体器官）の違いも身体的特徴に含まれます。身体的特徴の判断には、カメラや小型センサーとコンピュータを使った画像認識技術を利用したものが使われています。

たとえば、手のひらの静脈のパターンや、眼球の虹彩や網膜のパターンなどは、個人を特定する**認証キー**として有名です。他にも、顔であれば目の位置（両目の間隔や眉や額との距離）や口唇の形状、位置などの情報を数値化して、登録時の情報と比較する方法があります（図1上）。

一方、手書きのサイン（筆跡順や筆圧）や、話し方（発声や発音）、歩き方（歩幅や重心移動）といった、いわゆる動作のクセは**行動的特徴**として、生体認証の認証キーに利用することができます（図1下）。

基本的にこれらの情報は1人1人細かく異なっていて、遺伝的に非常に近い一卵性双生児であっても完全に同一ではないので、物まね程度ではごまかせません。

図1　現在使われている生体認証

身体的特徴

顔

網膜

虹彩

体つき

指紋

掌紋

声紋
（音声）

手のひらの静脈

行動的特徴

歩行の仕方

サイン
（筆跡や筆圧）

会話
（合言葉）

生体認証は厳密に比較すればするほど安全性も向上しますが、厳しすぎると、本人であっても認めてもらえない**認証失敗**のジレンマを抱えています。

指紋や顔の情報は、成長や加齢などの時間経過で変わってしまいますし、不慮の事故やケガで身体的特徴が損なわれることもあるでしょう。登録時のデータと「100%一致」しなければ認証してくれないシステムは、使いにくいものです。

そこで、認証失敗に備えた**安全装置（マスターキー）**が用意されるのが普通です。たとえば、Windows 10のPIN (Personal Identification Number) コードのように、4桁の数列など「秘密の暗唱キーを事前に決めておく」のです。

しかしこれでは、指紋や顔認証などセキュリティ的に「安心」とされる生体認証を運用していても、暗唱キーがもれてしまえば意味がありません。現在の生体認証は、「常に重い鍵をもち歩かなくてよい（＝簡便に使える）」ぐらいの、ゆるい目的で運用されることが多いようです。

◎ 組み合わせて安全性を高める

では、生体認証を安全に使うには、どうすればよいのでしょう? ここでは一般的な防犯の考え方を取り入れましょう。ドアの鍵が不安ならば、鍵の数を増やすのです。生体認証ならば、いくつかの**身体的特徴の判定を組み合わせたり、行動的特徴の判定を組み合わせる**のです。単独の認証で誤判定があっても、複数の認証を組み合わせることで、安全性が飛躍的に高まります（図2、図3）。

さらに、腕の内側や手の皮下などに埋め込んだ、複雑なIDコードを記録した**超小型のマイクロICチップ（RFID：Radio Frequency IDentifier）**を、生体認証と組み合わせて使う方法も考えられます。

図2 マルチ生体認証システム

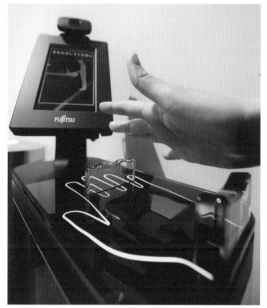

レジなし店舗「ローソン富士通新川崎TSレジレス店」の入口に導入されている、富士通のマルチ生体認証システム。手のひらの静脈と顔情報で本人を特定する技術。入店時および決済時に利用する

写真：時事

図3 組み合わせてセキュリティを高める

例１：顔＋虹彩＋会話（合言葉）

例２：手のひらの静脈＋指紋＋サイン（筆跡）

マイクロ IC チップ

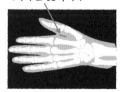

個人に特有の情報をもたせることで、生体認証のようにも利用できる

Q-25 今どきの自動車用信号機は なぜ「薄型」が増えているの？

自動車用信号機といえば身近すぎて気にもとめなかったかもしれませんが、よく見ると最近、小型化、薄型化が急速に進んでいるようです。なぜ信号がコンパクトになってきているのか考えてみましょう。

◎ LEDの利用が信号機の薄型化と省エネに貢献

　日本初の電球式信号機は、1930（昭和5）年、東京・日比谷の交差点に設置されました。現在は全国で20万基以上が運用されています。電球式信号機は電球、反射鏡、着色レンズと日よけ用フードでできていますが、西日などで太陽光が当たると「すべての電球が点灯しているように見える（疑似点灯現象）」といった欠点もありました（図1）。ところが、高輝度の青色LED（Light Emitting Diode：発光ダイオード）が開発され、1994（平成6）年から**LED信号機**が運用されるようになりました。省エネルギー効果もあり、現在では車両用で6割以上、歩行者用も5割以上がLED信号機です（東京都はほぼ100％）。

　LEDは電気が流れるときに光を発する**半導体**の一種です。半導体とは、電気を通す導体と電気を通さない絶縁体の中間的な性質をもち、特定の条件で電気を通す物体です。LEDに使われているダイオードは、電流の担い手である電子を受け渡せるn型半導体と、電子を受け取れる正孔をもつp型半導体を接着させたものです。p型のほうが＋極になるように電源をつなぐと、電子がn型からp型のほうに移動して、正孔に電子が収まります。そのときに発生するエネルギーの一部が光として放出（発光）されます（図2）。

　LEDは電気で発光する石のようなもので、電球に比べて小さく、発熱も少ないので、薄型、小型、かつ省エネの信号機が可能になり

図1 電球式信号機の疑似点灯現象

太陽光が当たるとすべての電球が点灯しているように見える　　　　　　写真：滝原 渡

図2 ダイオードの構造（p型、n型半導体）

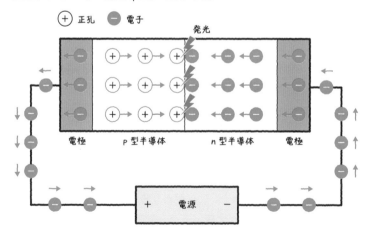

ました。LEDの半導体は**ガリウム**を主体としていて、添加する元素（アルミニウム、ヒ素、窒素、インジウムなど）の違いにより、発する色が異なります。

◎ のっぺらぼうの信号機ができてきたのは光の屈折レンズ

2011（平成23）年の東日本大震災以来、省エネに注目が集まり、LEDを用いた薄型の信号機が急速に広がりました。ところが積雪地帯では、「信号機の燈火面（レンズ）に雪が付着し、信号が見えない」というクレームが続出しました。従来の電球タイプの信号機は電球が発する熱で雪を溶かしていたのですが、LEDは発熱が少なく、雪が溶けにくかったのです。加えて、日よけのフードも雪が付着しやすい原因でした（図3）。

そこで、信号機の表示面を路面のほうに約20°傾けることが検討されました（図4）。すると、表示面に雪が付着しにくくなり、フードも不要で、西日も直接当たりにくくなります。

ところが、LEDの光も路面のほうに向くため、遠くからの視認性が悪化します。そこで、光を屈折させるレンズが開発されました。図5の②のように、**LEDが斜め下方向に発する光を路面と平行になるように曲げることが可能**となり、遠くからでも信号機の色を認識できるようになりました。最近は、LEDの発光部を傾けたものも開発されるようになりました（図5の③）。このようにして、スマホのようなのっぺらぼうの信号機ができたのです。

小型軽量、省エネ、悪天候に強く、保守作業も少ない、良いことづくめの信号機と思いきや、欠点がありました。LEDは、発する光の色の範囲が電球に比べて狭いため、色弱の人が赤色を認識しにくいのです。そこで、ユニバーサル型信号機が開発され、実証実験も行われています。

図3　雪が付着した信号機

どの色が点灯しているか判断しにくいので危険

図4　傾斜をつけた薄型信号機

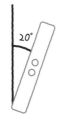 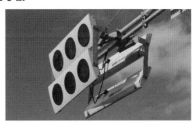

約20°の傾斜をつけることで西日よけのフードが不要になり、雪もつきにくくなった。ちなみに斜めから見ると点灯していないように見える

図5　斜めに取りつけた信号機の光を正面に向ける工夫

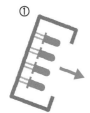  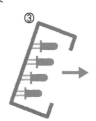

①信号機の表示面を傾けると、光も下に向いてしまう
②光を曲げるレンズ（水色）を組み込んで光を正面に向ける
③発光面が正面になるようにLEDを取りつける

Q-26 鏡のように反射する高層ビルの ガラスがあるけど、なぜ？

晴れた日に都会を歩いていると、鏡のような窓ガラスで覆われたオフィスビルが目に入ります。なぜ窓ガラスが青空や周りの景色を映し出して、キラキラときれいなのか考えてみましょう。

◎ 光を透過させたり反射させたりできる「複合材料技術」

　ガラスと**鏡**とは深い関係があります。金属はツルツルに磨き上げると、光を反射して鏡になります。金属中の自由電子が目に見える光（可視光）に反応し、ほぼすべての可視光をそのまま返すからです（反射）。ただし、きれいな平面に仕上げる必要があります。

　そこで、ツルツルのガラスに銀メッキを施して金属の平面をつくり、きれいに反射させているのが鏡です（図1）。このとき、銀は可視光を透過させることができません。もし、鏡を窓に使えば、部屋の中は真っ暗です。

　ところが、金属メッキを、目で厚みがわからないぐらいの薄膜（はくまく）に変えると、自由電子の量が十分ではないので、**光がある程度透過できる**ようになります。薄膜の種類や厚みを調整することで可視光の反射量を調整し、適度な遮光性をもたせて室温の上昇を抑えれば**エコガラス**になります。これが**熱線（赤外線）反射ガラス**です。

　オフィスビルのピカピカの窓ガラスには、この熱線反射ガラスが使われています。製品によっては、可視光の反射率が30％ぐらいの窓ガラスもあり、鏡のようになります。冬は室内からの熱線を反射して室内に戻すので、暖房効果が上がります。

　エコガラスには、熱線を吸収して遮断する**熱線吸収ガラス**もあります。熱線を吸収するイオン（通常は鉄イオン）をガラスに添加して吸収性能を高めています。

図1 鏡の構造

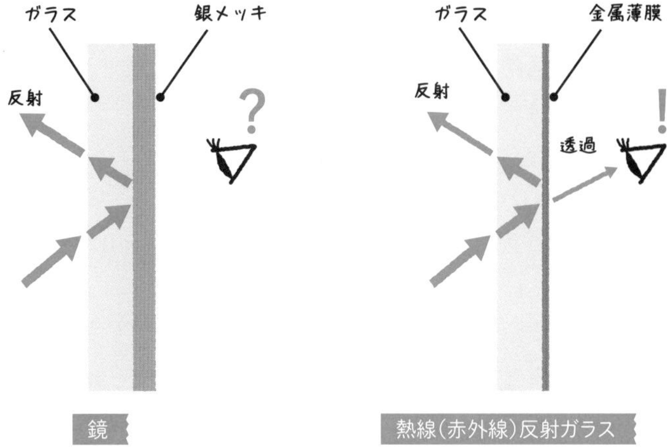

ガラス　　　　銀メッキ

反射

?

鏡

ガラス　　　　金属薄膜

反射

透過

!

熱線(赤外線)反射ガラス

鏡はガラスの裏面に銀メッキをして金属のきれいな平面をつくり、金属の反射を利用している。
金属部分を極端に薄くすると、光の一部が透過するようになる

図2 断熱ガラス（複層ガラス）の断面構造

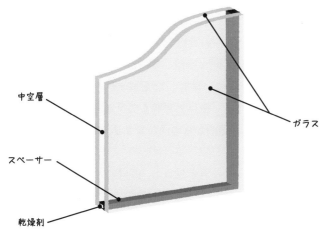

中空層

ガラス

スペーサー

乾燥剤

中空層には乾燥空気やアルゴンガスなど、熱を伝えにくいガスが封入してあり、断熱性が高い

ガラスを二重にし、ガラスの間に熱を伝えにくい乾燥空気などを封入した中空層を設けた**断熱ガラス（複層ガラス）**（図2）もエコガラスとして活躍しています。日本では、最近の新築一戸建ての多くで断熱ガラスが使われています。

◎ いいとこ取りのエコガラス「Low-Eガラス」

熱線反射ガラス、熱線吸収ガラス、複層ガラスを合体させた「いいとこ取り」のエコガラスが**Low-Eガラス**です。図3のような構造で、金属薄膜での反射と熱線吸収ガラスでの吸収のダブル効果で熱線を遮断します。ガラスに吸収された熱エネルギーは熱線として再放射されますが、金属は放射率が低いので、金属薄膜側は熱線の放射が抑えられ、多くが室外へ再放射されます。Low-Eは低放射率（Low Emissivity）の略です。複層ガラスの断熱効果も加わり、熱エネルギーの出入りをしっかりと抑えた高機能エコガラスです。

◎ なぜ夜はオフィスの中がよく見える？

ところで、昼は鏡のように景色を映して中が見えないオフィスビルの窓ガラスですが、夜にはビルの中がよく見えます。外が明るい昼は、室外の光の反射光が、暗い室内から窓ガラスを通過して外に出る光よりも強いので、反射した光がまさって室内が見えにくいのです（図4）。しかし、**夜は外が暗くて反射光がほとんどないので、照明で照らされた室内からの光がまさり、外から室内がよく見えます。**

逆に部屋の中から窓の外を見ると、部屋の光の反射が真っ暗な外からの光にまさるので、自分の姿が鏡のように映り、外がよく見えなくなります。室内から外は見えにくくても、残業でがんばっている様子は外からしっかりと見えているのです。

図3 Low-Eガラスの構造と日射エネルギーの様子

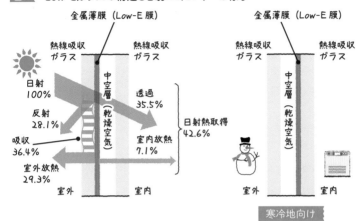

室外からの熱線は、金属薄膜での反射と熱線吸収ガラスでの吸収のダブル効果で遮断される。吸収された熱エネルギーはガラスから熱線として再放射されるが、金属は放射率が低いので、金属薄膜側は熱線の放射が抑えられ、多くが室外へ放射される。寒冷地では、暖房のエネルギーを室外に逃さないように、室内側のガラスに金属薄膜をつけている

図4 窓ガラスの反射と透過のイメージ

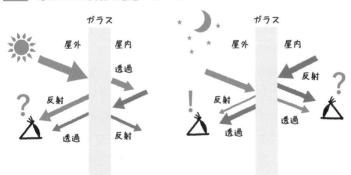

外が明るいときは反射光も大きいので、室内からの光は反射光に負けてはっきり認識できず、室内が見えにくい。夜は反射光が小さいので、室内からの透過光がまさって室内がよく見える。逆に室内からは外の光が弱いので、室内の反射光がまさって鏡のように自分が映り、外が見えにくくなる

Q-27 なぜ自動車のフロントガラスは そう簡単には「割れない」のか？

私の車の取扱説明書には「この車両のフロントウィンドウガラスは合わせガラスのため、緊急脱出用ハンマーで割ることができません」と書いてありました。なぜ割れないのか考えてみましょう。

◉「合わせガラス」は偶然の産物だった

　約5000年前、メソポタミア地方で「偶然発見された」といわれている**ガラス**は技術革新で改良が進み、現在では多種多様なガラスが日常生活で大活躍しています。ガラスの進化では複合材料が大切な役割を果たしています。**合わせガラス**も、樹脂フィルムとガラスの複合材料です。

　合わせガラスは、エドゥアール・ベネディクトゥスという化学者が1900年ごろに、**コロジオン**を入れていたフラスコを誤って落としたとき、ガラスが粉々に飛び散らないことに気がつき発明されたといわれています。コロジオンは粉末を固定したり、水絆創膏に使われたりする液体で、コロジオンが揮発して残る**ニトロセルロース**がガラス面に付着して、割れたガラスが飛び散るのを防いでいたのです。

　当時の自動車の窓に使われていた板ガラスは、耐久性が低く、事故で鋭利に割れたガラスが深刻な傷害を与えていました。そこでベネディクトゥスは、2枚のガラスの間に中間膜としてニトロセルロースを挟んだ合わせガラスを発明し、自動車の窓ガラスに採用してもらうよう働きかけたようです。現在、合わせガラスの中間膜には、透明度が高い**ポリビニルブチラール（PVB）フィルム**を使用しています（図1）。

　日本では、1987年以降に製造された自動車のフロントガラスに、

図1 合わせガラスの構造

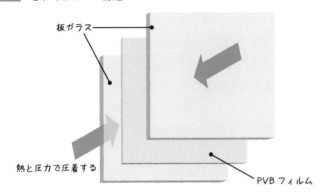

板ガラス

熱と圧力で圧着する

PVB フィルム

板ガラスでPVBフィルムを挟み込んでつくる。PVBフィルムに遮音性や紫外線吸収などの機能を付加して、車内の居住性を向上させることもできる

図2 特殊なカッターでないと切断できないフロントガラス

防災訓練で、自動車のフロントガラスを切断して救助するようす。合わせガラスのため、穴を開けてもガラスがバラバラに割れないので、特殊なカッターで樹脂フィルムごと切断している

写真：時事

合わせガラスの使用が義務づけられており、事故などで割れても
ヒビが入るだけで破片が飛び散らず、崩れ落ちません。また、事故
で人がぶつかっても、PVBフィルムが衝撃を緩和します。さらに、
PVBフィルムに紫外線吸収剤を添加して、380 nmの紫外線をほと
んどカットする効果も加えています。

　合わせガラスはハンマーで叩いてもなかなか突き破れないので、
防犯用ガラスとしても使われています。

◎ 強化ガラスは「安全に割れる」

　自動車は、フロントガラス以外の窓に**強化ガラス**を使っていま
す。強化ガラスは、板ガラスを加熱してから表面を急速冷却するこ
とで、表面と内部に異なる向きの「張り」を残し、外部からの力に
対して、普通のガラスに比べて強度を3〜4倍高めています。ただ
し、1点でも内部までヒビが入ると、ヒビを引き裂く方向に働く内
部の張りが効き、ガラス全体が粒状に粉々に割れるのが特徴です。
鋭利な形状に割れないため比較的安全です。緊急脱出用ハンマー
を強化ガラスに対して、1点に力を集中して衝撃を加えるように使
用するのはこのためです。

　自動車のガラスは図2のようにすべてに刻印されていて、「どの
ようなガラスが使われているか」がわかるようになっています。刻
印から、私の車のフロントガラスは合わせガラスが、後部ドアのガ
ラスは強化ガラスが使われていることがわかります。ガラスの厚
みや色、機能の情報を示す**Mナンバー**というものもあるのですが、
記号対応表はメーカー非公開のようです。

　ガラスに紫外線吸収コーティング膜を施し、紫外線を限りなく
カットする**自動車用単板ドアガラス**も開発されています。さらに、
防音や遮熱効果も加えて、車内環境の向上にも寄与しています。

図3　自動車のガラスの刻印

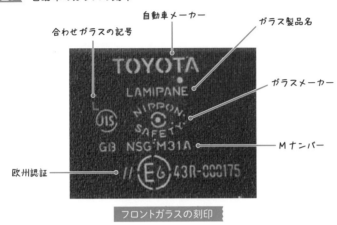

自動車メーカー
ガラス製品名
合わせガラスの記号
ガラスメーカー
Mナンバー
欧州認証

フロントガラスの刻印

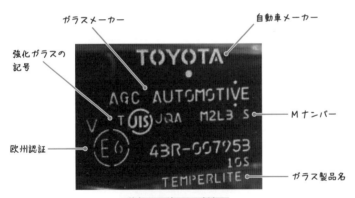

ガラスメーカー
自動車メーカー
強化ガラスの
記号
Mナンバー
欧州認証
ガラス製品名

後部ドアガラスの刻印

製品名や「T」または「L」の記号で、強化ガラスか合わせガラスかがわかる。ガラスの特徴を示すMナンバーの記号対応表は非公開のようだ

エアコンなどに使われている「ヒートポンプ」とは何か？

> ヒートポンプは断熱圧縮と断熱膨張で、空気を、より熱い空気と冷たい空気に分ける機械です。エアコンから冷蔵庫まで、省エネに暖房も冷房もできます。なぜこんなことができるのか考えてみましょう。

◎1台で「暖房」も「冷房」もできるワケ

コタツやIH調理器は、電気のエネルギーを熱に変えるだけなので、冷たくはできません。けれどもエアコンは暖房も冷房もできます。これは、エアコンが**ヒートポンプ**という方法を使っているからです。ヒートポンプの「ヒート」は「熱」。だから「熱のポンプ」という意味です。

ヒートポンプは、熱に関する2つの性質を組み合わせてつくられています。1つは「空気は急に圧縮すると熱くなり、急に膨張すると冷たくなる」という性質です。空気入れを使って勢いよく自転車のタイヤに空気を入れると、空気入れの下のほうが熱くなります。これは空気を急に圧縮したからです。

「急に」というのがポイントで、正確には「熱が外に逃げないように」という意味です。熱が外に逃げないようにして逆に急に膨張させると、温度を下げることができます。これらは**断熱圧縮**と**断熱膨張**と呼ばれます。

もう1つは「熱は、温度が高いほうから低いほうへ移動する」という性質です。これは当たり前かもしれません。熱いお茶に氷を入れたら、熱はお茶から氷へ移動して氷は融け、お茶はぬるくなります。これを**熱平衡**といいます。

エアコンはこの2つの性質を使ってつくられます。実際のエアコンは室外機と室内機に分かれていて、あいだを**冷媒**という流体が

図1　空気は圧縮すると熱くなる

空気入れを使うと空気が圧縮されて、下のほうが熱くなる

図2　熱平衡のイメージ

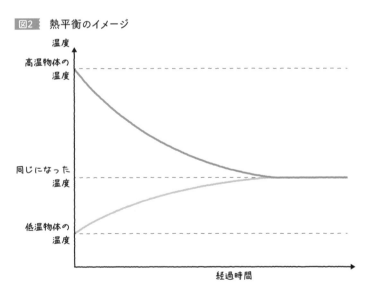

温度の異なる物体が触れ合うと、やがて同じ温度になる

グルグルと循環しています。冷媒は普段は気体(ガス)ですが、冷やしたり圧力を上げると簡単に液体になります。

◎ 冷媒が熱を乗せたり、降ろしたりする

エアコンの室外機には**コンプレッサー**という装置が入っていて、モーターなどで外の空気を圧縮し、熱くします。自転車の空気入れもコンプレッサーの一種です。暖房の場合はシンプルで、熱い空気が冷媒を暖め、熱い冷媒が室内機までやってきて、室内の空気を暖めます。冷媒は室内で冷やされると液体になります。すると**潜熱**という熱がさらに出て部屋を暖めます。そして室外機に戻り、また暖められて気体になります。

これを逆転させれば冷房になります。まず室外機では、コンプレッサーでつくった熱く高圧の冷媒を外気で冷やし、高圧のまま液体にします。液体になった冷媒は次に膨張弁という器具を通ります。膨張弁は圧力を急激に下げるので、温度が下がります。エアコンであれば5℃くらいまで冷えた冷媒が、そのまま室内機に入り、部屋の空気を冷やします。部屋の空気で暖められた冷媒は気体になり、このとき、さらに熱を吸って室外機へ戻ります。

結果として、ヒートポンプは電気のエネルギーをそのまま熱に変えるのではなく、電気で空気を圧縮することで、より熱い空気と冷たい空気に分けます。コタツとはまったく違う理屈といってよいでしょう。構造は少し複雑ですが、単純な電熱器より圧倒的に省エネです。

ちなみに、冷蔵庫も同じ原理です。エアコンの能力表示には「冷房能力」「暖房能力」「消費電力」がありますが、通常は消費電力より冷房能力や暖房能力のほうが何倍も大きくなっています。それだけ省エネなのです。

図3　コンプレッサーと膨張弁を使ったエアコンのしくみ（冷房）

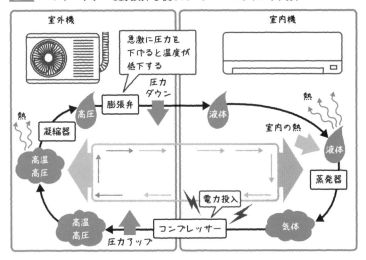

図4　冷蔵庫もヒートポンプでできている

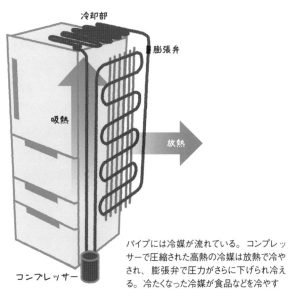

パイプには冷媒が流れている。コンプレッサーで圧縮された高熱の冷媒は放熱で冷やされ、膨張弁で圧力がさらに下げられ冷える。冷たくなった冷媒が食品などを冷やす

エレベータが落ちても激突の直前でうまくジャンプすれば助かるのか?

> エレベータが落下したときに、「地面に衝突する瞬間、空中にいれば助かるのではないか?」と思ったことはありませんか? しかし、タダでは済まない理由が3つあります。1つ1つ考えてみましょう。

◎ 落ちている間は「無重量状態」

まず、1つ目の理由は、落ちている間、エレベータの中は**無重量状態**であるということです。無重量状態では、**体の姿勢を保つことが非常に困難**です。万が一、何かにつかまることができて、床に両足を踏ん張る姿勢をとれたとしても、かなりの被害をこうむることになります。ちなみに、宇宙飛行士の無重量状態の訓練は、エンジンを止めて落下している飛行機の中で行います。

◎ 落ちる瞬間はいつ?

2つ目の理由は、**いつ地面に衝突するかわからない**ことです。ビルの7〜8階の高さ30mから、エレベータが落下したとします。空気の抵抗はないものとして計算すると、落ちるまでに2.5秒、落下しているときの速さ $v = gt$(g:重力加速度9.8m/秒^2 t:秒)なので、これで計算すると、地面に衝突するときの速度は24.5m/秒です。これは、88.2km/時となり、外が見えないエレベータの箱の中で、地面との衝突の瞬間を都合よくとらえて跳び上がることは、非常に難しいのです。偶然、タイミングよく跳び上がれたとしても、3つ目の問題があります。

◎ どのくらいの速度でジャンプできる?

3つ目の理由は「速度」です。前述のように、エレベータが地面に

図1　地面に激突する直前でジャンプすれば助かる?

図2　落ちているときは無重量

無重量でジャンプできるような姿勢をとるのは難しい。何かにつかまるのが精いっぱいだろう

衝突する瞬間の速さは88.2km/時です。そのとき、幸運にも無重量状態の中で姿勢を整えて、タイミングよくジャンプできたとします。このとき、どれだけエレベータの速度を和らげられるかを考えてみましょう。

エレベータの乗客がジャンプするので、助走なしのジャンプとなります。ここでは、垂直跳びの記録を参考にしてみました。陸上の跳躍選手やNBAのプロバスケットボール選手の平均は70cmなので、この値を参考に計算します。

すると、選手が70cmの頂点に達するまで0.38秒です。どれくらいの速度で跳び出したかといえば、3.7m/秒つまり、13.3km/時となります。

このときのエレベータの中の人の速度を計算してみると、エレベータの箱の速度88.2km/時から、エレベータの中でジャンプした人が得た速度13.3km/時を引いた、速度74.9km/時で衝突してしまうのです。

◎ より身近な例で考えてみると？

これを別の例で考えてみましょう。

図4のように、トラックの後ろにコンテナをつけたものを用意します。車輪がついたイスに座り、前の壁に足をついて、トラックが壁に衝突した瞬間に壁を蹴れば同じことです。このトラックが88.2km/時で衝突するのです。衝突の瞬間に、うまくコンテナを蹴ることができたとしても、74.9km/時の速度でコンテナにぶつかってしまうのです。これでは、タダではすみません。

ちなみに、落下するエレベータの中にいた場合、一番助かる確率が高いのは、エレベータの床に寝ることです。床に触れている面積を大きくして、単位面積にかかる力を少なくするのです。

図3　いつ地面にぶつかるかわからない

地面に激突する瞬間をとらえて、そのタイミングでぴったりとジャンプしないといけないが、外が見えないので難しい

図4　自動車が衝突するのと同じ

衝突の瞬間にタイミングよく蹴り出せても、74.9km/時の速度でコンテナの壁にぶつかってしまう

Fake 2

「牛乳や乳製品は腸を悪くする」という 「牛乳有害説」のおかしさ

　「牛乳や乳製品は腸を悪くする」といい出したのは、米国の胃腸内視鏡医・新谷弘美氏のベストセラーになった本です。

　「牛乳は錆びた脂」「牛乳で骨粗しょう症になる」「ヨーグルト常食で腸相が悪くなる」などと、牛乳や乳製品を非難しました。内視鏡医として30万人の「腸相」（新谷氏の造語）を診てきたということですが、内視鏡医が診るのは腸相の悪い人が圧倒的でしょうから、その中に牛乳や乳製品をとっている人が多いといっても、それらが腸に悪いとはいえないでしょう。

　牛乳を飲むとお腹を壊す乳糖不耐症（牛乳を分解するラクターゼという酵素の分泌が小腸で不足して起こる）や乳アレルギーという体質的問題をもっている人は別にして、牛乳や乳製品の摂取に問題はありません。

　日本人が世界で平均寿命トップクラスになった原因の1つとして、牛乳や乳製品とともに食肉が増え、死因のトップだった脳卒中が減ったことが指摘されています。もし、新谷氏が勧める「野菜ばっかりを食べ」「肉と乳製品は絶対食べない」生活を続けていたら、血管が弱くなって、脳卒中の死亡率が再び増えるかもしれません。

　現在の日本人の食生活で一般的に不足しているミネラルはカルシウムです。牛乳や乳製品はカルシウムの吸収率がよく、カルシウム不足への対応としても優れた食品です。成長期の子どもの栄養補給や中高年女性に多い骨粗しょう症対策としても安心して飲める食品です。なお、カロリー過多を心配する人は、低脂肪乳のものにしましょう。

第 3 章

夜から寝るまでに出合う
「科学」

お酒を飲むと体の中では
どんなことが起こるの？

お酒を飲むと気分が高揚して、笑ったり涙を流したりする人がいます。前の晩のお酒で二日酔いになると頭がガンガン痛くなったりもします。これらの原因は、どこにあるのか考えてみましょう。

◎ 体に影響を及ぼす成分はアルコール

　「お酒」といっても、ビールやワイン、焼酎に日本酒などさまざまな種類があり、味や香りもまさにバラエティに富んでいます。

　お酒には数多くの成分が含まれていますが、体や脳に影響を及ぼすのは**アルコール（エタノール）**という物質です。アルコールは、とても体内に吸収されやすい物質です。口から体内に入ったアルコールは、その20％がまず胃、残りの大部分は小腸から吸収されます。吸収されたアルコールは、血液に溶け込んで全身をめぐり、5％程度は尿や呼気に含まれてそのまま排泄されることになりますが、残りの95％——つまり大部分のアルコールは、体内をめぐりめぐって最終的に**肝臓**に運ばれます。

◎ 酔い具合はアルコールの血中濃度で決まる

　体内をめぐる間に当然ながら、アルコールは脳にもめぐってきます。アルコールは麻酔作用をもっていて脳をマヒさせるので、いわゆる「酔った」状態をつくり出します。そのため、多少の個人差はあるにしても、酔い具合は脳内のアルコール濃度と関係しているのです。脳内のアルコール濃度を測ることは不可能なので、一般的には血中のアルコール濃度によって酔い具合が判定されています。たとえば、酩酊極期は血中濃度が0.16〜0.3％（日本酒4〜6合程度）とされています。

図1　体内に入ったアルコールの経路と肝臓での分解

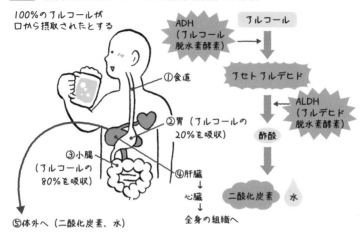

参考：「飲酒と健康」武庫川女子大学バイオサイエンス研究所

図2　飲酒量と血中アルコール濃度

	飲酒量	血中濃度（％）	脳の状態と酔い具合
爽快期	ビール：中びん〜1本 日本酒：〜1合 ウイスキー：シングル〜2杯	0.02〜0.04	軽い酩酊 皮膚が赤くなる 陽気になる
ほろ酔い期	ビール：中びん1〜2本 日本酒：1〜2合 ウイスキー：シングル〜3杯	0.05〜0.1	軽い酩酊 ほろ酔い気分 脈が早くなる
酩酊初期	ビール：中びん3本 日本酒：3合 ウイスキー：ダブル3杯	0.11〜0.15	軽い酩酊 気が大きくなる 立てばふらつく
酩酊極期	ビール：中びん4〜6本 日本酒：4〜6合 ウイスキー：ダブル5杯	0.16〜0.3	強い酩酊 千鳥足になる 呼吸が速くなる
泥酔期	ビール：中びん7〜10本 日本酒：7合〜1升 ウイスキー：ボトル1本	0.31〜0.4	麻痺 まともに立てない 言語がめちゃくちゃになる
昏睡期	ビール：中びん10本〜 日本酒：1升〜 ウイスキー：ボトル1本〜	0.41〜	死に至る 揺り動かしても動かない 大小便は垂れ流しになる

参考：「飲酒の基礎知識」アルコール健康医学協会

◎ 肝臓に集められたアルコールの行方

　肝臓でアルコールは、ADH（アルコール脱水素酵素）という酵素の働きにより、**アセトアルデヒド**という有害物質に分解されます。さらに、別の酵素であるALDH（アルデヒド脱水素酵素）によってアセトアルデヒドは、無害な**酢酸**に変化します。酢酸は血液によって全身をめぐるうち、さらに水と二酸化炭素に分解され、最終的に尿や呼気となって体外に排出されます。

　このとき、分解しきれなかったアルコールは再び全身をめぐりますが、また肝臓に戻ってきて分解が行われます。この**分解途中で発生するアセトアルデヒドが二日酔いになる原因の有力候補**とされていますが、実は二日酔いのメカニズムはよくわかっていません。特定の物質だけでなく、ホルモンバランスの変化などさまざまな要因が複合的に絡み合って起こっていると考えられます。もし、そのメカニズムが完全に解明されたら、人々を苦しめる二日酔いがなくなる日がくるかもしれません。

◎ お酒に強い人・弱い人

　お酒の「強い」「弱い」は体格差や男女差、年齢差によっても異なりますが、**遺伝的な体質による部分も大きい**です。先ほど紹介したALDHという酵素が遺伝的に不活性だったり、働きが弱い人は、悪酔いをしやすいことが知られており、「お酒に弱い」ということになります。自分の体質を知ったうえで、急激な体内への吸収を抑えるため水や食事とともにお酒を飲むことや、分解速度を超えないようにゆっくりと飲むことが大切です。

　また、お酒に「強い」「弱い」に関係なく、**イッキ飲み**は絶対にやめましょう。血中アルコール濃度が急上昇するため、昏睡状態になることもあり危険です。

図3 ALDH（アセトアルデヒド分解酵素）の遺伝子パターンによるアルコールの耐性

活性型	日本人の56%	アセトアルデヒドの分解が速い	お酒に強く、飲んでも赤くならない
不活性型	日本人の40%	アセトアルデヒドの分解が遅い	お酒に弱く、飲むと赤くなる
失活型	日本人の4%	アルコールを受けつけない	お酒が飲めない

図4 過去5年間の急性アルコール中毒搬送者数（東京都）

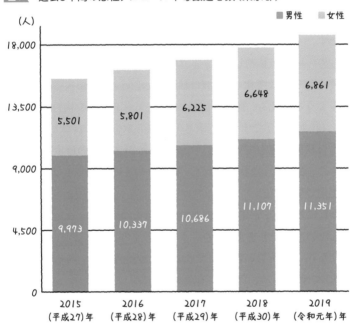

ちなみに、月別の搬送者数を調べると、12月が最も多い。忘年会など、多数で盛り上がって飲酒する機会が増えるからだと考えられる

出典：東京消防庁

Q-31 ケミカルライト(サイリューム)は折るとなぜ明るく発光する？

> ライブやコンサートを観るときの「光り物」。軽く棒を折って中身のアンプルを割ると一定時間光る、使い捨てのケミカルライト(サイリューム)もよく使われます。なぜ光るのか考えてみましょう。

◎ 物理変化と化学変化

　ものの変化は、大きく**物理変化**と**化学変化**の2つに分けることができます。大きな違いは、物理変化が**ものをつくっている物質そのものが変化しない**のに対し、化学変化では**別の物質に変化する**ことです。

　ものの場所が移動したり、スピードや向きが変わったりしても、物質そのものは変化しなければ物理変化です。水が氷や水蒸気になるような変化も、物質が固体、液体、気体の3つの状態の間での変化(状態変化)です。氷も水も水蒸気も水分子からなり、水分子の集合状態が違っているだけなので、物質そのものは変わっていません。このような状態変化も、物質そのものが変わらないので物理変化です。

　これに対して、水素と酸素を混ぜて火をつけると、水素でも酸素でもない水ができます。このように反応前の物質とは別の、反応前にはなかった新しい物質ができる変化が化学変化(あるいは化学反応)です。

◎ 光を発する化学反応

　化学反応が起こると、エネルギーが発生し、周りに放出されます。たとえば、水素が酸素と反応して燃焼や爆発が起これば、熱や光のエネルギーが放出されます。

図1 物理変化と化学変化

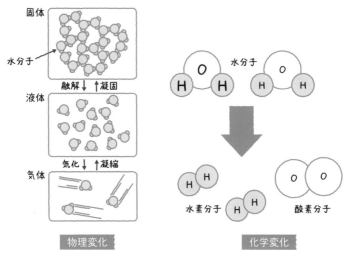

物理変化

水の状態変化は、水分子の集合状態の変化で、物質の水そのものは変化していない

化学変化

水の分解は化学変化。原子の結びつきが変わり、違う物質に変わっている

図2 化学反応とエネルギー

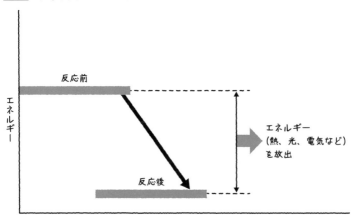

　化学反応によって生じるエネルギーが、主に**光エネルギー**として発生・放出される場合があります。この現象を**化学発光**といいます。ホタルの青白い光の点滅は、自然界に見られる化学発光です。ウミホタルや発光魚などの発光も同様です。化学発光が起きる化学反応の多くは、物質が酸素と結びついたり、電子を失ったりする酸化反応ですが、燃焼とは違って、ほとんど熱が出ません。

　化学発光が起こるしくみの第1段階は、化学反応によってできた物質が**励起状態**になることです。励起状態とは、物質の中の電子が非常に興奮したエネルギーの高い状態になっていることです。励起状態は不安定なので、**基底状態**（興奮していない普通の状態）に戻ります。このとき、余分なエネルギーを光の形で出して発光するのです。

　ホタルが発光するしくみは複雑で、**酵素**が活躍しています。細胞内にあるATP（エネルギーを出す物質）のもつエネルギーを消費することで、酵素のルシフェラーゼがルシフェリンを分解して、励起状態の酸化ルシフェリンが生じます。励起状態の酸化ルシフェリンがもとの状態に戻るとき、黄緑色の光が発生します。ウミホタルもホタル同様に、ルシフェラーゼとルシフェリンをもっています。ホタルは体の中で発光しますが、ウミホタルは、それを体外に放出して光らせるのがホタルとの違いです。

　ケミカルライトは、ホタルの光に学んだ化学発光による光源です。容器を折り曲げて、中に入っているガラスのアンプルを割ると、アンプル内外の液が混ざり合って化学発光が起こります。

　1つのアンプルには、シュウ酸ジフェニルと蛍光色素との混合物、もう1つには過酸化水素（濃度約35％）が入っています。この2液が混ざると、蛍光染料が励起状態から基底状態になるときに光が放出されます。色は使った染料によって決まります。

図3　ホタルが発光するしくみ

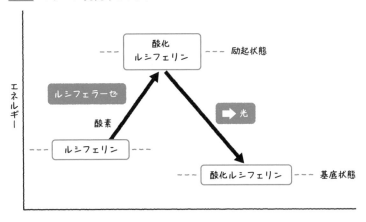

図4　ケミカルライトの発光のしくみ

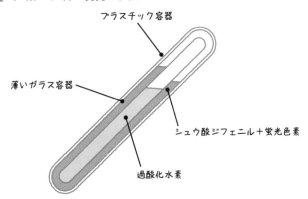

「シュウ酸ジフェニル」と「蛍光色素」の混合物に「過酸化水素」が混ざると、高エネルギーで安定な活性中間体（ジオキセタンジオン）を生成する。この活性中間体が蛍光色素を励起状態に引き上げ、蛍光色素が基底状態に戻るときに蛍光を発する

Q-32 「栄養ドリンク」や「エナジードリンク」で本当に元気になる？

長い時間働いた後など、「疲れたときに飲むもの」として、日本ではもともと栄養ドリンクが一般的でしたが、最近はエナジードリンクをよく目にします。これらの飲料が体に及ぼす作用を調べてみましょう。

◎ 栄養ドリンクとエナジードリンクの共通点

栄養ドリンクやエナジードリンクは「疲れたとき」「もうひとがんばりしたいとき」などに飲むものです。カフェイン、糖質、アミノ酸、ビタミン類などは両方に共通してよく配合される成分です。カフェインは覚醒作用、いわゆる「眠気覚まし」の効果があります。糖質は最終的にはブドウ糖になって吸収されます。これは脳が活動するのに必要な唯一の栄養です。アミノ酸には多くの種類があり、作用もさまざまですが、持久力アップ、筋肉痛解消、疲労感の軽減などが期待できます。ビタミン類にも多くの種類があり、その作用は多岐にわたります。

◎ 栄養ドリンクは医薬部外品、エナジードリンクは清涼飲料水

どちらも似たようなイメージですが、大きな違いがあります。栄養ドリンクは厚生労働省が許可した有効成分が配合された**医薬部外品**に分類されます。滋養強壮や栄養補給など効能・効果の記載が可能で、それをテレビなどで広告することもできます。当然、成分の配合量について制限が設けられており、それを表示する義務があります。

一方、エナジードリンクは清涼飲料水であり、含有する有効成分を記載することはできず、滋養強壮や栄養補給といった効能・効果の表示もできません。そのため、他のジュースやスポーツドリンク

図1　栄養ドリンクとエナジードリンクに共通する成分

カフェイン	覚醒作用
糖類	脳の栄養
アミノ酸	持久力アップなど
ビタミン類	ビタミンEは筋肉の緊張を和らげ、血液循環を促す。 ビタミンB1などは代謝を補助し、神経系を維持・調節する

図2　栄養ドリンクとエナジードリンクの違い

	栄養ドリンク	エナジードリンク
	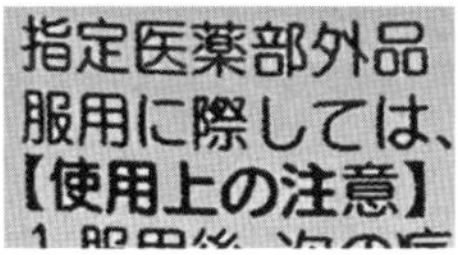 指定医薬部外品 服用に際しては、 【使用上の注意】	  品名：炭酸飲料 名称：清涼飲料水
種別	医薬部外品	炭酸飲料、清涼飲料水
表示広告	効果・効能の表示、広告ができる	効果・効能の表示、広告ができない
販売	清涼飲料水とは別の専用コーナー	ジュースやスポーツドリンクと同じ棚
代表的成分	肝臓の働きを助けるタウリン	タウリンの代わりにアルギニン

などと同じカテゴリに分類され、同じ棚で販売されます。テレビ
CMでも、その効果をうたうことはできません。

◎ タウリンの代わりにアルギニンを使うエナジードリンク

　栄養ドリンクの代表的な成分である**タウリン**は、肝機能修復や
視力・ストレス・疲労回復に効果があります。体内で合成でき、そ
の不足分は食事からとるのがよいとされます。ある計算によると、
1日約500mgのタウリンをとるのが適切とされていますが、栄養ド
リンクには500～2,000mgも配合されています。

　タウリンは医薬品、医薬部外品にのみ認められており、エナジー
ドリンクには配合できません。その代替として、血管を広げて血液
を通りやすくする効果があるとされる**アルギニン**が使われます。

　カフェインは、栄養ドリンク、エナジードリンク双方に共通して
よく用いられる成分です。栄養ドリンクはカフェイン量に制限が
ありますが、エナジードリンクでは上限がありません。中には多量
に配合されている製品もあります。日常生活でお茶やコーヒーな
どからカフェインを多く摂取する人は、カフェインの過剰摂取に
注意する必要があります。

◎ プラセボ効果で元気になることも

　プラセボとは「薬理作用のない薬」という意味で、語源はラテン
語の「喜ばせる」という意味の単語です。偽薬効果、プラシーボ効
果ともいわれます。疲れに効きそうな成分と薬のようなにおいや
味から、「これは効くに違いない」と思い込むことで、その効果が
表れるのです。しかし、その効果は一時的なものかもしれません。
エナジードリンクに過度の期待をせず、その成分・効能・弊害につ
いての知識を身につけることが大切です。

図3　飲みすぎると中毒の恐れがあるカフェイン

カフェインの過剰摂取など、効能を期待して飲みすぎると危険

図4　プラセボ効果

「飲んだら元気になった気がするぞ」

Q-33 なぜ、いろいろな色を 花火は表現できるの？

> 夜空をさまざまな色で彩る花火。その色のメインは、火薬の玉に含まれている金属元素の炎色反応によります。また、白くピカピカと輝くのは炎色反応ではなく、アルミニウムなどの金属粉末の激しい燃焼です。

◎ 金属元素の炎色反応

　金属の化合物を炎に入れると、金属の種類によっては炎にさまざまな色がつきます。たとえば、塩化ナトリウムや水酸化ナトリウムでは、ナトリウムという金属元素が成分なので同じ黄色になります。金属元素を炎に入れたとき、このような特有の色を示すことを**炎色反応**といいます。下は金属元素と炎色反応の色の関係です。

図1 いろいろな金属元素の炎色反応

リチウム Li	ナトリウム Na	カリウム K	カルシウム Ca	ストロンチウム Sr	バリウム Ba	銅 Cu
深紅色	黄色	淡紫色	赤色	深紅色	黄緑色	青緑色

　金属元素の化合物の水溶液を白金線につけて炎の中に入れ、それぞれの元素の色を見ます。

　炎色反応が起こっているとき、炎の熱で金属の中の電子が、エネルギーが低い状態（基底状態）から高い状態（励起状態）に高められます。励起状態は不安定な状態ですから、電子がすぐにエネルギーの低い状態に戻ります。

　基底状態からエネルギーをもらってどんな励起状態になるかは元素ごとに決まっています。励起状態からもとの基底状態に戻るときに、励起状態と基底状態の差が、光（電磁波）のエネルギーとして周りに放出されます。

　励起状態と基底状態の差のエネルギーがちょうど可視光線の波

図2　励起状態から基底状態に戻るときにエネルギーを放出する

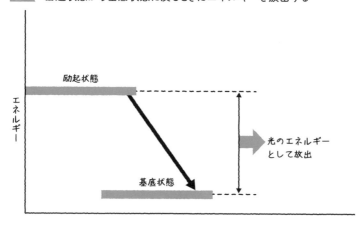

図3　花火の打ち上げと花火の構造

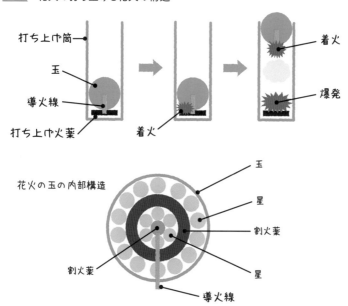

長の光のときに、炎色反応が見られます。つまり、炎からもらった
エネルギーを、光のエネルギーで出しているのですが、**その光が可
視光線であること**がポイントです。炎色反応を起こさない金属元
素は、励起状態から基底状態に戻るときに可視光線ではない光を
出しているので、色が見えないのです。

◉ 花火の色のメインは炎色反応

打ち上げ花火は「玉」と呼ばれる紙製の球体に「星」と呼ばれる
火薬の玉を詰めたものを、火薬を使って打ち上げます。打ち上げる
ときに導火線に点火し、高く上ったところで、導火線から玉内部の
割火薬に点火されて、玉が破裂します。玉が破裂すると星が飛び散
ります。その飛び散り方で、さまざまな形の花火になります。星の
外側には、火がつきやすい層があります。

飛び散った星からは、いろいろな色が出ます。星は火薬のかたま
りで、中に「火薬と金属元素の化合物」と「金属粉末」が詰められて
います。星が出す色や光は、主に炎色反応と金属粉末の燃焼による
ものです。

赤色はストロンチウムの化合物（硝酸ストロンチウム、炭酸スト
ロンチウムなど）、緑色は硝酸バリウム、塩素酸バリウムなどで出
します。黄色はナトリウムの化合物、青色は主として銅の化合物
（炭酸銅、硫酸銅など）で出します。赤色、緑色、黄色、青色以外の
色は、いろいろな化合物を混ぜて出します。たとえば、ストロンチ
ウムと銅の化合物を混ぜて、きれいな紫色を出します。

白くピカピカと輝く色は、アルミニウムやマグネシウムなどの
金属粉末を燃焼させて出します。玉の中には金属粉と酸化剤（反応
して金属に酸素を強く結びつけるもの）が混ぜてあって、反応する
と大量の熱を出して約3,000度の高温になり、白く輝きます。

図4　花火の色

赤	ストロンチウムの化合物
緑	バリウムの化合物
黄	ナトリウムの化合物
青	銅の化合物
白くピカピカと輝く	アルミニウムやマグネシウムなどの金属粉末

Q-34 CDの音質がレコードの音質に負けることなんてあるの？

帰宅後、リラックスして音楽を楽しむ人は多いでしょう。現代はCDやネット配信などによる「デジタル音源」が主流ですが、レコードなど「アナログ音源」の販売も復活しつつあります（図1）。これはなぜか考えてみましょう。

◉ CDによる音の記録の特徴

CDは、音をデジタル化して記録します。音の波形をごく短い時間間隔で切り出し、0か1の記号に置き換えることで記録（図2）し、再生はその逆を行っています。情報を盤面の凹凸にして記録し、レーザー光線で読めるようにしたものがCDです（図3）。

凹凸の有無が0、1の情報なので、録音時の音質が再生時も保たれます。また、レコードで起こるスクラッチノイズ（プチプチという雑音）も、回転ムラなどによる音質の変化もありません。記録する盤面の、内周と外周の回転速度の差による音質の変化とも無縁です。

◉ レコードによる音の記録の特徴

一方、**レコード**は、集音器につながった針先が、原盤に音を刻みます。原盤は、アルミニウムの円盤にラッカーでコーティングしたものを用います。ラッカーの表面を針がなぞると音の振動が記録されるわけです。音を直接記録するわけですから、高い音も低い音も、**原理的にはすべて記録**されます。ただし、レコードのマスター盤をつくるときにノイズを減らすため、低音域と高音域は調整します。高周波の超音波域がCDよりもわずかに多く記録されてはいますが、完全に原音通りになっているわけではありません。

記録された音はいくつかの工程を経て、プラスチックのレコー

148

図1 2000年から2019年までのアナログレコードの生産数量推移（千枚）

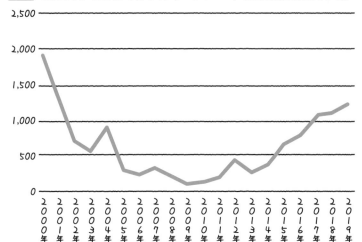

横軸が年、縦軸が生産枚数。2010年ごろを境に生産数が再び増加している
出典：日本レコード協会　https://www.riaj.or.jp/g/data/annual/ms_n.html

図2 CDの音のサンプリングイメージ

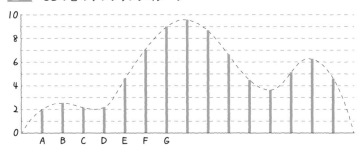

A 〜 Gのように一定間隔で音の波形から振幅データを抽出し、それを0と1の2進数に置き換える

ド盤となります。レコード盤表面を針でなぞり、もとの音を再生するのです（図4）。

◎ なぜレコードへの回帰が起こるのか

CDでは**サンプリングによる音源データの切り捨て**がどうしても起こってしまいます。このため、音質がレコードより「かたい」ということにもなります。特に振動数が高い音は、切り捨てられる部分が多くなります。このようにスパッと切られた音は、かたい音になってしまうことがあります。最近では、この欠点を補うため、できるだけ細かくサンプリングして記録した**ハイレゾリューション**といわれる音源もあります。

一方のレコードは、すべての周波数の音が、切れ間なく連続して記録されています（図5）。CDではカットされている部分の音がすべて記録され、再生されています。これらの理由から、レコードの音は「なめらかな音」なのです。

さらにレコードは、CDにはない特性をもっています。それは**機器間の共振**と**サーフェスノイズ**です。レコードは、針で感知された盤面の振動が、ピックアップ・トーンアームを通じてアンプに伝えられます。その間に、いくつかの場所で共振が起こり、「よい音」の原因となっていると考えられています。レコードのベースに常にあるサーフェスノイズは、音を聞きやすくする効果があるともいわれています。

デジタル音源が主流の今日、大量の音楽データがネット上を行きかっています。そんな中、デジタル音源の「かたい」音に物足りなくなった人々が、「なめらかで暖かく、聴きやすく、癒やされる」音を求めて、アナログ音源であるレコードへと回帰しているのです。

図3　CDの盤面とピックアップ

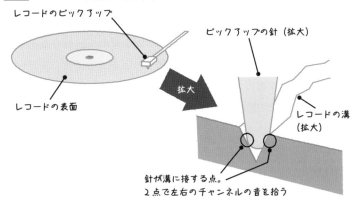

レーザー光線のピックアップ

CDの裏面

レーザー光線のビームスポット

ピット（光を反射しない）

図4　レコードの盤面とピックアップ

レコードのピックアップ

ピックアップの針（拡大）

レコードの表面

レコードの溝（拡大）

針が溝に接する点。
2点で左右のチャンネルの音を拾う

図5　レコードの音のイメージ

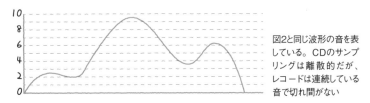

図2と同じ波形の音を表している。CDのサンプリングは離散的だが、レコードは連続している音で切れ間がない

灯油がガソリンほどは危なくない理由とは？

ガソリンは引火しやすいので、取り扱いに厳重な注意が必要です。それに対して灯油がガソリンほど危なくないのは、引火しにくいからだけではありません。寒い夜などに重宝する石油ストーブを例に、その違いを見てみましょう。

◎ カートリッジ式ストーブから灯油がこぼれない理由

燃料タンクがカートリッジ式の石油ストーブは、燃料タンクの給油口を下にして取りつけます。しかし、灯油が油受皿からあふれ出ることはありません。灯油が油受皿からあふれ出ないのは、**大気圧に支えられているから**です。

このことは、家庭でも簡単な実験をすることで確認できます。水の入ったペットボトルの口にしょうゆ皿を重ねて、そのまま逆さに立てます。すると少し水が出て、ピタリと止まります。スプーンなどでしょうゆ皿の水をくみ出し、ペットボトルの口よりも水位が下がると、水が出てきて空気が中に入り、再び止まります。

◎ ガソリンを誤給油したらどうなる？

灯油の蒸気圧は水よりも低いのですが、**ガソリンの蒸気圧は高く、約30℃で1気圧（大気圧）を超えてしまう成分**も含まれています。そのため、燃料タンク内の液温が上がると、**大気圧では支えきれず、油受皿からあふれ出てしまいます**。

外にガソリンが漏れ出ると、燃焼中のストーブの火が引火して火災になります。こうなると、燃料タンク内の液温はさらに上昇して、ガソリンがますますあふれ出し、火災が爆発的に大きくなってしまいます。

NITE（独立行政法人 製品評価技術基盤機構）は、実際に石油ス

図1 逆さの燃料タンクから灯油がこぼれない理由

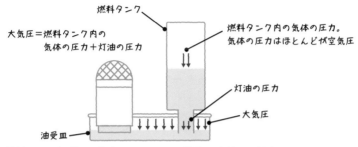

燃料タンク

大気圧＝燃料タンク内の
気体の圧力＋灯油の圧力

燃料タンク内の気体の圧力。
気体の圧力はほとんどが空気圧

灯油の圧力

大気圧

油受皿

燃料タンクの中と外の圧力がつりあっているので油受皿の灯油はこぼれない

図2 しょうゆ皿でもペットボトルの水を支えられる

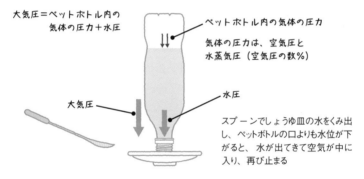

大気圧＝ペットボトル内の
気体の圧力＋水圧

ペットボトル内の気体の圧力

気体の圧力は、空気圧と
水蒸気圧（空気圧の数%）

大気圧

水圧

スプーンでしょうゆ皿の水をくみ出
し、ペットボトルの口よりも水位が下
がると、水が出てきて空気が中に
入り、再び止まる

図3 ガソリンでは温度が上がるとあふれ出してしまう

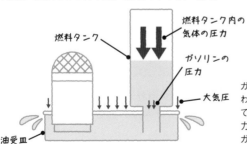

大気圧＜燃料タンク内の気体の圧力＋ガソリンの圧力

燃料タンク

燃料タンク内の
気体の圧力

ガソリンの
圧力

大気圧

油受皿

燃料タンク内の気体の
圧力は空気圧とガソリン
の蒸気圧。ガソリンの
蒸気圧は温度が上がる
と大気圧より大きくなる

ガソリンの成分によっても変
わるが、液温が30℃を超え
てくるとタンク内の気体の圧
力が大きくなり、大気圧では
ガソリンを支えきれない

トーブと石油ファンヒーターにガソリンを誤給油した動画を
YouTubeで公開しています。石油ストーブの動画では、油受皿か
らあふれ出たガソリンにストーブの火が引火して、爆発的に燃え
上がりました。

　それに対し石油ファンヒーターでは、運転時の熱でタンクから
ガソリンが外に漏れ出していましたが、ファンが回転していたた
め、ガソリンに引火しませんでした。しかし、電源を切って再び点
火した瞬間、点火の火花がガソリンの蒸気に引火して爆発が起き、
一気に石油ファンヒーターは炎に包まれました。

◎ −40℃でもガソリンは引火してしまう

　液温が低いうちは、可燃性の蒸気の濃度が低いので、炎を近づけ
ても燃えません。しかし、液温が高くなると蒸気の濃度が高くな
り、炎を近づけると燃えだします。このように、炎を近づけただけ
で燃焼がはじまる温度を**引火点**といいます。

　ガソリンは、引火点が−40℃以下と非常に低いので、**人が生活
しているほとんどの場所で引火する危険**があります。ガソリンを
扱う場所は火気厳禁で、静電気による火花にも気をつけなければ
ならないのはこのためです。

　一方、灯油の引火点は40〜60℃なので、普通に生活する場所で
は引火の危険性が低いため、ストーブの燃料などに使われていま
す。しかし、**夏場の気温の高い日の密閉された室内などでは、引火
点を超えることもある**ので注意が必要です。

　消毒用のアルコールも、引火点が20℃前後と低く、燃えやすい
ので注意が必要です。特に手などの消毒で、霧状に噴霧したときは
火気厳禁です。消毒に使ったアルコールの蒸気が浴衣の袖に残っ
ていて、花火の火が引火する事故も起こっています。

図4　引火のしくみ

液温が引火点以下では引火しない　　　　液温が引火点以上では引火する

灯油もガソリンも、表面から可燃性の蒸気が発生していて、液温が高いほど蒸気はたくさん発生する。蒸気が濃くなり、炎を近づけただけで燃焼がはじまる温度が引火点

図5　灯油も高温になる場所は危険

車内は50℃以上になることもある　　　　閉め切った部屋も危険

図6　アルコール消毒でやけどすることも

消毒で使用したアルコールの蒸気が浴衣の袖に残っていて、花火の火が引火、やけどを負った事故もある

ポリゴンはなぜ三角形の組み合わせで表現されるのか？

ゲームで夜更かしした経験がある人は多いかもしれません。そんなゲームの立体構造は多面体（ポリゴン）で表現されます。CGはそれに基づいています。それは三角形で構成できますが、なぜなのか考えてみましょう。

◎ 見るって「デジタル」？

私たちは平面の像を見て生活しています。像は目の網膜に映っています。その像をどんどん細かくしていくと、ある基本単位の大きさになるでしょう。網膜といえども、観測素子である**視細胞の大きさ**」が分解能の限界です。他方、パソコンのような画面では、**ピクセル**」と呼ばれる基本単位が最小です。多くの場合、それは四角い形をしています。

では、立体の場合はどうなるのでしょう？　表面において微妙な凹凸をもって立体の曲面を描いていると思われます。でも、「見る」ということは、やはり有限の大きさ（面積）の分解能という制約を受けています。つまり「デジタル表示」だと考えられます。

◎ 正多面体の科学「オイラーの多面体定理」をちょっと眺める

そこでまず、立体分割の基盤として、正多面体を考えます。正4面体、正6面体（サイコロ）、正8面体、正12面体、正20面体の端正な美しさに見とれた方も多いでしょう。図1にそれらを挙げておきます。

さらにここから、多面体構造はどんどん派生して考えられます。例として、図2は六方20面体とその展開図です。このような多面体で成り立つ関係として、頂点、辺および面の数について以下の定理（**オイラーの多面体定理**）が有名です。

図1　いろいろな正多面体

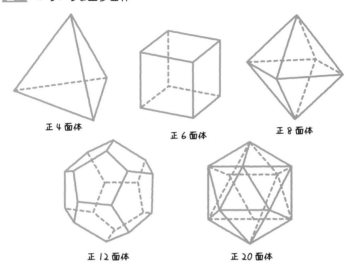

正４面体　　　正６面体　　　正８面体

正１２面体　　　正２０面体

図2　六方20面体とその展開図

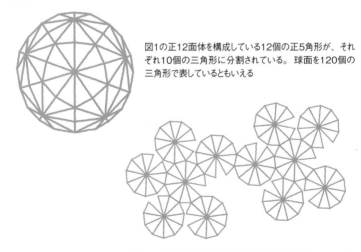

図1の正12面体を構成している12個の正5角形が、それぞれ10個の三角形に分割されている。球面を120個の三角形で表しているともいえる

参考：一松 信/著『正多面体を解く』（東海大学出版会、2002年）

$$（頂点の数）-（辺の数）+（面の数）=2$$

というものです。たとえば、図1の右上にある正8面体では頂点6個、辺が12個、面が8個なので、6 − 12 + 8 = 2で成立しています。

　この有名な定理は、立体構造において「きちんと面をつくって解析することの大切さ」を表しています。数学的にはさまざまな構造があって、なかなか普遍的な方法とは断言できないのですが、実際の問題においては、立体構造体を表記する際に多面体に再分割することが極めて重要になります。

　このような表現方法を**ポリゴンモデル**（あるいは**ポリゴンメッシュ法**）といいます。これは**複雑な曲面をデジタル表示する、汎用性のある方法**です。

◉ 三角形の集合が基本

　三角形は、ポリゴンモデルの中でも、基礎構成単位として最も単純なものです。3点を決めると一意的に平面が決まるからです。盛り上がりやへこみなどがないことが大切です。この単純性のためコンピュータのアルゴリズムが簡素になり、結果的に容量、電力、計算時間などの計算機資源の負担を少なくできます。

　実際、CGにおいては、この**三角形メッシュモデル**が主流となっています。三角形メッシュモデルでは、より精密に表現するために、基礎構成単位の三角形を細かくする方法もシステマティックに決められます。図3はその典型的な例です。これは、アルゴリズムの原型でもあります。

　メッシュの細分化の効果を図4に具体的に示します。右のゴツゴツしたウサギの体が、10倍の細分化で、かなり滑らかに浮かび上がってくるのがわかります。

図3 三角形を細かくする方法

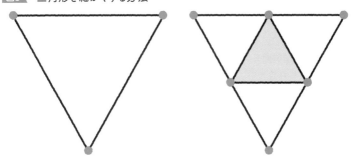

三角形の各辺の中点を結んで新しい三角形をつくると、4つの三角形ができる。 つまり4倍の三角形による表示となり、容易に精密化できる。アルゴリズムとしても単純明快である

図4 メッシュの細分化による精密さの違い

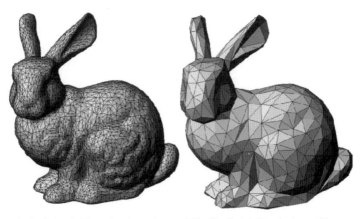

三角形の集合で表現されたウサギのモデル。 三角形の数は左が1万個、右が1,000個

出典：三谷 純「ポリゴンモデルのデータ構造と位相操作」

なぜスマホは熱くなるの？

夜、スマホで映画を長い時間観ていたら、スマホがとても熱くなった人がいるかもしれません。どうしてそんなに熱くなるのでしょうか？ スマホが熱くなる原因を調べてみましょう。

◎ スマホの内部はどうなっている？

　スマホがどのような内部構成をしているのか、代表的な機種としてアップルの「iPhone 11」を例に見てみましょう（図1）。スマホのメーカーや機種によって、多少の違いはありますが、内部構成は基本的にどれもそうは変わりません。

　本体の容積の7〜8割程度を占めているのは、内蔵されている「**バッテリー（リチウムイオン充電池）**」です。その横にあって小さな部品がたくさん集まっているのが「**ロジックボード**」と呼ばれるものです。パソコンなら、CPUやGPUなどに相当します。ロジックボードは、さまざまなデジタル情報を処理する機能が集約された心臓部です。

　その近くには、スマホそれぞれの電話番号など（ユーザー情報）を保持している「**SIMカード**」のスロットがあります。バッテリーの上下にある四角いものは「**メモリ**」で、フラッシュメモリなどの半導体メモリが情報を記憶しています。

　本体上端部のほうにある2〜3個の円形部品は「**カメラのレンズ部分と半導体のイメージセンサー**」です。この図には見えていませんが、ほぼ全面にタッチセンサーつきの「**ディスプレイパネル（ガラス製）**」があります。

　では、熱を出す、つまり熱くなるのはスマホのどの部分でしょうか？ スマホの中で一番発熱するのは、CPUが載っている**ロジッ**

図1 スマホの内部の一例

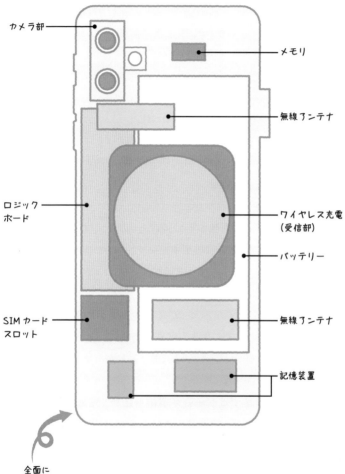

カメラ部

メモリ

無線アンテナ

ロジック
ボード

ワイヤレス充電
（受信部）

バッテリー

SIMカード
スロット

無線アンテナ

記憶装置

全面に
タッチセンサーつきディスプレイパネル

クボードです。

　パソコンでは、CPUの発熱をヒートパイプで移動させ、ヒートシンクや空冷ファンを用いて空気中に排熱していますが、薄くて小さいスマホではそうはいきません。

　スマホの排熱は、熱を伝えやすいグラファイトシートなどを用いてロジックボードの熱を本体全体に広げて伝え、そこから外（机や空気中へ）へ逃がしているのです（図2）。

　他に、ストレージや無線アンテナ、ディスプレイなども熱を出しますが、特に気をつけたいのが**バッテリーの発熱**です。リチウムイオン充電池は、放電（使用）時よりも、電気をためる**充電時のほうが温度が上がります**。一番大きな（大面積の）バッテリーが熱くなると、ロジックボードの熱が外に逃げないだけでなく、バッテリーそのものも傷んで寿命を縮めます。

◎ **熱くなったスマホの冷やし方は？**

　スマホが熱くなりすぎると、安全機能が働いて温度を下げようとします。CPUやメモリの電力消費を抑えて、処理能力を一時的に落とすのです。動作が遅くなったり、表示がカクカクしはじめたら、温度上昇の合図です。

　こうなったら、まずは**ゲームや通信を止め、充電も停止**します。できれば電源を切って、風通しのよい卓上などにスマホを静かに置くといいでしょう。プラスチック製のスマホケースは熱を伝えにくいので、スマホケースを外したほうが冷却効果は高くなります。

　ただし、スマホが熱いからといって冷蔵庫や冷凍庫で冷やしたり、「防水機能があるから」と水中に沈めたりするのは危険です。結露や温度変化によって水が内部に入り、ショートするかもしれません。絶対にやめましょう（図3）。

図2　スマホの排熱方法

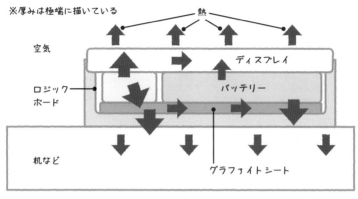

ファンやヒートシンクなどは使えないので、本体全体に熱を散らし、空気中や机などに排熱している

図3　熱くなったスマホを冷やす方法

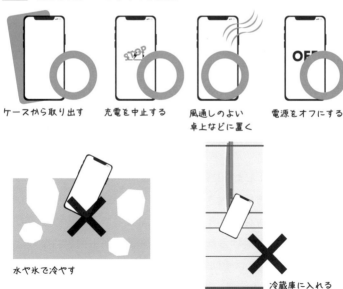

変化球はなぜ曲がるの？

> プロ野球のナイターを楽しみにしている人は多いでしょう。プロ野球の試合などでは、ピッチャーが変化球でバッターを打ち取るシーンがあります。変化球が「なぜ曲がるのか」考えてみましょう。

◎ 変化球は回転と摩擦、乱れがつくり出す

アニメや漫画のフィクションの世界だけではなく、現実の世界でも目にすることができる変化球、見事なものは「魔球」とさえ呼ばれます。これはピッチャーが投球時、ボールに**回転（スピン）**を加えることで、ボールの軌道を変化させているからです。

ボールに回転が加わることでどんな効果が生まれるのでしょうか。図1のように、ボールの進行方向が右から左で、ボールを真横から見たとき、時計回りに回転している場合で考えてみましょう。

空気中を飛ぶボールは、その表面と空気との間で摩擦が生じています。この摩擦の大きさは、ボール表面と接する空気との速度差によって変わります。

図1のように、回転するボールの上側と下側では空気との速度差が違うので摩擦の大きさが変わり、ボールの上側のほうが摩擦は小さく、下側で摩擦は大きくなります。摩擦が大きくなると空気の流れが乱れて、ボールの表面に沿って流れていた空気の流れが、ボールからはがれるように流れていきます。

空気の流れは摩擦が大きなボールの下側で早くはがれるので、流れが上下で非対称になります。これによってボールの後ろの流れは向きが下側に曲げられます。空気の流れが下向きになったということは、これとは逆向きの力をボールが受けたということなので（作用反作用の法則）、**ボールは上向きに曲がる**のです（図2）。

図1　ボールが受ける空気の流れ

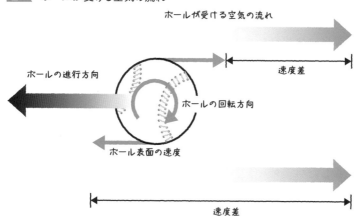

ボールが受ける空気の流れ

速度差

ボールの進行方向

ボールの回転方向

ボール表面の速度

速度差

図2　ボールの回転と周りの空気の流れの関係

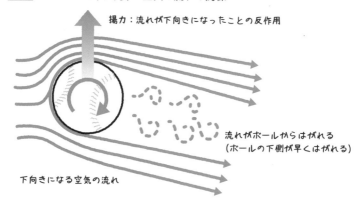

揚力：流れが下向きになったことの反作用

流れがボールからはがれる
（ボールの下側が早くはがれる）

下向きになる空気の流れ

　このような、**流れの中を回転しながら進む物体に、流れと回転軸の両方に垂直に力が働く現象**を、**マグヌス効果**と呼びます。これを最初に研究したドイツの科学者の名前からとられました。マグヌスは、回転しながら飛んでいく砲弾の軌道がずれていくことについて研究していて、マグヌス効果を発見しました。

◎「魔球」は脳が見せるイリュージョンかもしれない

　変化球についての物理的な解説はこれで終わりですが、空振り三振したバッターはしばしば、「ボールが手元で、いきなり変化した」といいます。これは物理学では説明がつかない事態です。これは一体どうしたことでしょう。

　これに対する1つの仮説が近年、神経科学の分野から発表されました。それもまた、**ボールの回転**がキーポイントでした。

　私たちが物体の動きを見るとき、どのようにして脳がそれを認知しているのかという問題がそこにはあるというのです。

　野球のボールには、美しく並ぶ**赤い縫い目**があります。ピッチャーが変化球を投げるときには、その赤い縫い目をとっかかりとして、巧みにボールに回転をかけます。バッターから見ると、この赤い縫い目は、回転しながら飛んでくる白いボール全体の中で位置を変えながら近づいてきます。

　私たちの脳は、物体のある1点を見ることと、周辺を見ることを同時に処理しているのではないようなのです。ピッチャーが投げたボールがキャッチャーミットに届くまでの短い時間に、脳は「回転している赤い縫い目の位置」と「白いボール全体の位置」とを認識します。このわずかなタイムラグが、**錯視**のような状況をつくり出している可能性があるといいます。「魔球」は私たちの脳の機能が見せるイリュージョン（幻影）であるかもしれないのです。

図3　赤い縫い目がバッターを錯覚させる？

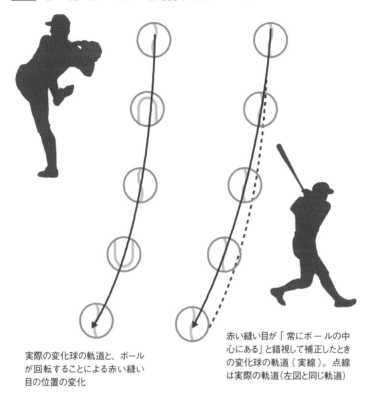

実際の変化球の軌道と、ボールが回転することによる赤い縫い目の位置の変化

赤い縫い目が「常にボールの中心にある」と錯視して補正したときの変化球の軌道（実線）。点線は実際の軌道（左図と同じ軌道）

バッターは「白いボール全体」と「赤い縫い目」（図では青）を別々に見ている可能性がある。すると、見たものを脳で統合して再現するとき、ボールに対する縫い目の位置を「同じ位置にうっかり補正」してしまい、実際よりもボールが曲がって見えることがあるようだ

夜はなぜ、昼間よりも音が遠くまで届くのか？

> 昼間より「夜のほうが遠くの音がよく聞こえる」という経験はありませんか？　これは「昼間は騒音で聞き取りにくい音が、静かな夜には聞こえる」というだけではないのです。

◎ 音は温度差のある場所で「屈折」する

　音は、それを伝えるもの（媒体）が振動し、**波**となって伝わります。その伝わり方は一般的に波と認識される**横波**とは異なり、媒体の圧縮と膨張の繰り返しによる**縦波**です。バネの振動に例えると、図1のようになります。

　媒体が空気の場合、気温が高いほど空気の分子が激しく動き回るので、隣の分子に波を伝達するのが速くなります。逆に、気温が低ければ、隣の分子への伝達は遅くなります。気温24℃でおよそ340m/秒になり、気温が1度下がると、音速は0.6m/秒遅くなります。空気が音を伝えるので、風上よりも風下のほうが伝わりやすくなります。

　音の伝わり方は、地面からの高さによる温度分布によって違います。温度差があるところでは、その境目で音速が変化し、**音の屈折**が起こります。水やガラスと空気の境目で光が屈折するのと同様の現象です。下のほうが気温が低く、上空に気温が高い層があると、図2のような方向に曲がります。

◎ 昼間の音の伝わり方

　晴天の昼間は太陽光によって地表が暖められるため、上空に行くほど気温が低くなります。その結果、地表近くの音速のほうが、上空の音速よりも速くなります。上空に行くにつれて温度が低く

図1 音の伝わり方

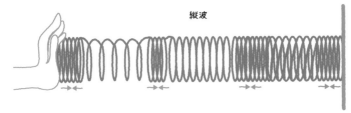

縦波

音は順番に押し引きが繰り返される縦波で伝わる

横波

水面の波などは横波で伝わる

図2 音の屈折

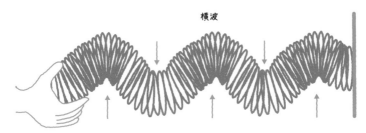

暖かい

気温が高いと音の伝わり方は速い

境目で曲がる

寒い

音源

気温が低いと音の伝わり方は遅い

なると、音は図3のように、温度が低い上方に曲げられてしまいます。最初はゆるやかな屈折ですが、だんだん角度が急になり、**音は上空に逃げていく**ことになります。そのため、昼間の音は遠くまで届きにくいのです。

◎ 夜の音の伝わり方

　晴れた日の気温は、午後2時ごろをピークに、徐々に下がっていきます。夜は**放射冷却**により、地表近くの温度が下がります。放射冷却とは、**日中に暖められた地面から赤外線が放射されて温度が下がる現象**です。赤外線は、人の目に見えない波長の光で、暖められた地面から宇宙空間に向かって放射されます。つまり、雲のないよく晴れた日は、夜に冷え込みやすくなるのです。

　放射冷却で地表付近が低温になると、昼間とは逆に、上空に行くにしたがって温度が高くなります。その結果、地表付近の音速が遅くなり、上空では速くなるので、音は図4のように下方に曲がります。徐々にゆるやかな屈折となり、上空に向かっていた音は、逆に地面に向かって降りてきます。そのため、山を越えて音が伝わったり、音源の近くよりもむしろ少し離れたところのほうが、音がよく聞こえたりすることがあるのです。

　曇りのときは、放射された赤外線を雲が吸収するので放射冷却が起こりにくく、地面付近と上空の温度差がつきにくくなります。そのため、晴れた日の夜と比べると、遠くの音が聞こえにくくなります。

　季節で比べると、夏よりも空気が澄み、放射冷却が起こりやすい冬のほうが、音は遠くに届きます。つまり音は、風上よりも風下、昼間よりも夜間、夏よりも冬のほうが遠くまで届きやすいということになります。

図3　昼と夜の音の伝わり方の違い

「水で焼く」という調理器具のしくみは？

> 「ごちそう晩ごはん」に便利なのがウォーターオーブン。つまり「水で焼く」という調理器です（最初にシャープが「ヘルシオ」を発売）。これは300℃を超える過熱水蒸気による調理器です。どのようなしくみなのでしょうか。

◎「過熱水蒸気」とはどんな水蒸気？

水は、私たちの生活する温度範囲で、固体、液体、気体の3つの状態を示す物質です。

水は、1気圧のもとで、融点（凝固点）は0℃、沸点は100℃です。氷を加熱すると0℃で融解して水になり、100℃で沸騰して水蒸気になります。なお、水でも、0℃のときも30℃のときも90℃のときも、水面から揮発して水蒸気になっています（逆に水蒸気から水に戻ってもいます）。

沸騰している水から出る水蒸気は100℃ですが、その水蒸気をさらに熱すると、**温度が上がった水蒸気**になります。水蒸気は100℃どころではなく200℃、300℃を超えるような高い温度になります。これを**過熱水蒸気**といいます。熱い乾いた感じの水蒸気です。

過熱水蒸気をマッチに当てれば火がつくし、紙も焦げ出したりします。水蒸気で「濡れる」のではなく「焦げる」のです。水蒸気は最高で100℃ではなく、300℃を超える場合もあるのです。

生活の中で私たちが100℃を超える水蒸気を感じる場面は普通はないでしょう。だから「水は濡れやすい」「水蒸気はせいぜい100℃まで」というイメージをもっているかもしれません。

しかし、実は中学理科の教科書には**高温水蒸気**が出てきます。火力発電所や原子力発電所では、水を熱して「高温高圧の水蒸気」にします。

図1 水の状態変化

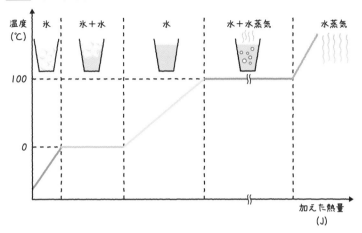

図2 過熱水蒸気でマッチに火がつく、紙が焦げる

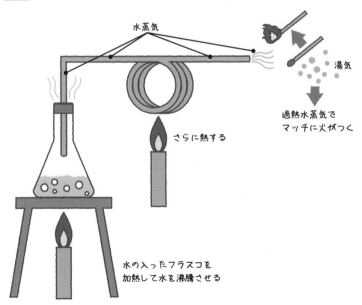

この高温高圧の水蒸気でタービンを回すことで発電機を動かし、発電しています。

◎ 過熱水蒸気で調理するウォーターオーブン

ウォーターオーブンは、食品に300℃を超える過熱水蒸気を当てることで調理します。もともと業務用では、過熱水蒸気を利用するものが存在していましたが、家庭用として小型化して販売されたのです。

300℃を超えた温度のイメージをもつために、天ぷら油で天ぷらを揚げる場合の温度を考えてみましょう。天ぷらの調理温度は200℃前後です。それを超えて加熱し続けると、250℃で油が分解して煙が出はじめ、360℃～380℃で油の発火点になり、油が燃え上がります。つまり、**300℃を超えた過熱水蒸気は、天ぷらを揚げる温度をはるかに超え、油の発火点に近い**ものなのです。

食品に当たった過熱水蒸気は食品を温め、自らは冷えて液体の水に戻り、食品の表面で結露します。しかし、食品の温度が100℃を超えると、いくら過熱水蒸気を当てても、もはや結露せず、食品が含んでいる水を過熱水蒸気の熱が飛ばしてしまいます。過熱水蒸気で食品が濡れた状態になるどころか、パリッとカリッと焼けるのです。

また、調理器内の空気を追い出しますから、はじめは空気中に21％あった酸素がぐんと減ります。低酸素状態では食品の成分が酸化しにくいので、ビタミンなど酸化に弱い成分の酸化を抑えます。

最初に販売されたウォーターオーブンは過熱水蒸気のみを利用していましたが、その後に販売されたものは、過熱水蒸気の利用に加えて、マイクロ波の併用、ヒーターの併用、マイクロ波とヒーターの併用など、いろいろな加熱方式を組み合わせています。

図3 ウォーターオーブンのしくみ

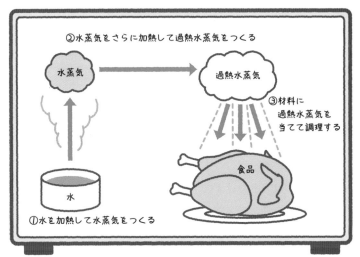

②水蒸気をさらに加熱して過熱水蒸気をつくる

水蒸気 → 過熱水蒸気

③材料に過熱水蒸気を当てて調理する

食品

①水を加熱して水蒸気をつくる

水

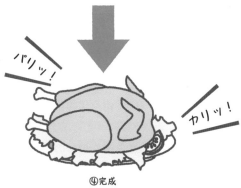

パリッ！

カリッ！

④完成

歩くと月が「ついてくる」理由は？

美しい満月の夜、歩いていても、車の窓から見ていても、月はどこまでも「ついてくる」ように見えます。月がついてくるのは、なぜでしょうか。その理由を探ってみましょう。

◎ 視野が広いと、遠くのものは長い間見える

私たちがものを見るとき、**視野**があります。視野とは、ものを見る範囲のことです。

近くのものは大きく見えますが、狭い範囲しか見えません。遠くのものは小さく見えますが、広い範囲が見えます。

試しに「近くに見える木」と「やや遠くの、木より大きな建物」「ずっと遠くに見える山」を比べてみましょう（図1）。近くの木は大きく見えますが、自分が移動すると、すぐに視野から出てしまいます。木が見えなくなったことで、移動したことがわかります。一方、遠くの建物や山は当然、木より実際には大きいですが、木よりも小さく見え、かなり移動しないと視野から出ません。そのため、近くの景色が動いているのに、山や建物は動いていないように見えます。

このように、**多少移動しても遠くのものは長い間見える**ことになります。しかし「山がついてくる」とはいいません。

◎ 「ついてくる」とはどういうことか？

それでは、「ついてくる」とはどういう状態でしょうか。私たちがものを見ているとき、移動しても視野の中に入っていると「ついてきている」と感じます。

たとえば、高速道路を時速100kmで走っているとします。隣に

図1 「近くは狭く」「遠くは広く」見える

遠くの景色は
しばらく見えている

近くの景色は
早く移り変わる

移動する車から
景色を見ている人

図2 高速道路で横を「ついてくる」車は常に視野の中

景色は移り変わっても、
隣の車は常に「ついてきている」状態

隣の車

高速道路を走っている自分の車

は、同じ速度で走っている車がいます。このとき、隣の車は、自分の車に「ついてきている」と感じます。相手の車は、常に視野の中にいて、見た目も変化していません。周りの景色が動いても、本当に隣の車は「ついきている」のです（図2）。

それでは、月はどうでしょうか。

月は地球から約38万kmも離れた宇宙にあります。しかも、直径が地球の約4分の1もあるような巨大な天体です（図3）。それが空に浮かんでいるので、よく目立ちます。また、人の目で直接観察できるほどの明るさです。特に満月のときには、同じ方角と高度でずっと見えています。**多少移動してもずっと月は視野の中にあり、見えている**わけです。

たとえば時速40kmで走る車で20分ほど移動すると、移動距離は13kmくらいですが、そのくらいでは満月の見える様子は変わりません。周りの景色の様子が変わっても、同じ位置にずっと同じ大きさで月は見えています。そのため、見ている私たちは「月がついてきている」ように感じるわけです（図4）。

つまり「月がついてくる」とは、あまりに遠くにある月は多少移動しても見かけが変わらないため、**「ついてくるように見える」錯覚**なのです。

また、月は昔から「お月さん」などと呼ばれ、「優しさの象徴」のように扱われてきました。その心理的な作用も「ついてきている」という表現につながっていると考えられます。

一方、太陽も巨大な天体で、月と見かけの大きさはほぼ同じです。またはるか遠くにある天体なので、同じような理由で「ついてくる」といわれてもよさそうです。しかし、太陽は、あまりにまぶしく、直接見ることは危険なのでできません。そのため、太陽は月のように「ついてくる」といわれることは、ほとんどありません。

図3　月と地球の関係

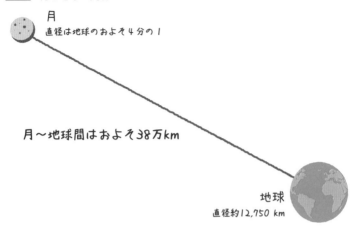

月
直径は地球のおよそ4分の1

月～地球間はおよそ38万km

地球
直径約12,750 km

図4　「ついてくる」月

近くの景色が変わっても同じ大きさで、同じ位置に見える月

Q-42 光源がないのに長時間発光し続ける時計の文字盤などのしくみは？

> アナログ時計の針や文字盤は、真っ暗な部屋の中など光源がなくても光り輝きます。なぜ長時間、光源がなくても光り輝くことができるのか考えてみましょう。

　最近、貼っておくだけで暗くなったら光って、非常口へ誘導するサインを、劇場や水族館などで見かけるようになりました。薄手で電源も不要なものです。これはアナログ時計の文字盤（図1）と同じく、光を蓄えて長時間発光する**蓄光**と呼ばれる現象を利用しています。蓄光は、蛍光インクなどの**蛍光**を長時間発し続けるものです。

◎ 蛍光インクはなぜ光る？

　まず、蛍光のしくみから理解していきましょう。蛍光ペンのインクは、紫外線などエネルギーの高い光を当てたとき、とても鮮やかな黄緑色や橙色などの光を発します（図2）。そのしくみは次の通りです。蛍光物質がエネルギーを吸収すると励起状態（活性化状態）になります。それが基底状態（もとの状態）に戻るとき、2つの状態のエネルギーの差のほとんどを光として放出します（図3）。蛍光インクは光が当たっているときだけ輝きますが、光源がなくてもしばらく光り続けるのが、蓄光物質である**夜光塗料**です。

◎ 安全な蓄光型夜光塗料の開発の道のり

　蛍光物質は、光を受けて励起状態（活性化状態）になっても、すぐに基底状態（もとの状態）に戻ってしまいます。そこで、エネルギーを出し続ける**放射性物質のラジウム**を利用して、長時間蛍光を発する夜光塗料が1900年代初頭、米国で使用されるようになり

図1 夜光塗料を利用した例

時計の文字盤

図2 蛍光インク

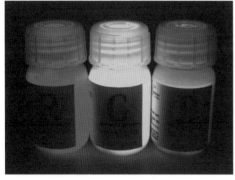

紫外線を当てると光る蛍光イン
ク（可視光で見えないタイプ）
写真：株式会社SO-KEN
（http://www.trickprint.com）

ました。しかし、当時は放射能の危険性がまだ知られておらず、多くの作業員ががんを患いました。時計の利用者に健康被害がなかったのは、ラジウムが発する放射線は、ガラスで容易に遮へいできるためです。

これを受けて安全性を考慮し、ラジウムより放射能が弱い**プロメチウム**を利用した夜光塗料が日本で開発され、1962年から量産されるようになりました。

放射能を利用しない夜光塗料としては、光が当たるとしばらく蛍光を発する**硫化亜鉛**が利用されていましたが、1970年代、さらに銅などを加えた**長残光性硫化亜鉛蓄光顔料（GSS）**が開発されました。しかしこれでも発光時間は短く、耐光性にも欠けていました。

そこで1993年、現在世界中に広まっている蓄光型の夜光塗料**N夜光（ルミノーバ）**が開発されました。GSSの10倍の明るさで、発光時間は10倍です。アルミン酸の塩に希土類元素（レアアース）のユウロピウム、ジスプロシウムを加えて開発された物質です。

◎ 蓄光型の夜光塗料が長時間光るしくみ

長時間発光を続けるようになったのは、高エネルギーのまま長時間維持できる状態をつくれたためです。ルミノーバの発光のしくみを図4に示しました。紫外線などの光で蛍光物質が励起状態（活性化状態）になると一旦、**捕獲状態**に移ります。それが少しずつ励起状態（活性化状態）に移動して、基底状態（もとの状態）に戻るときに発光するのです。ここにユウロピウムとジスプロシウムが関与しています。

夜光塗料の色というと緑色系統のものが多いのですが、近年は青色系統や、発色が弱く残光時間が短いですがオレンジ色も開発されてきました。

図3 蛍光発色のメカニズム

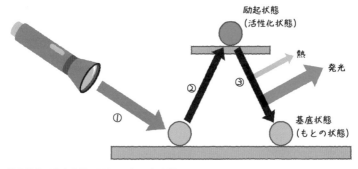

①紫外線が蛍光物質に届き、エネルギーを得る。
②蛍光物質が活性化状態(励起状態)になる。
③もとの状態(基底状態)に戻るときに、エネルギーを光と熱として放出する(発光)。

図4 蓄光型蛍光物質(長残光性蛍光物質)の発光メカニズム

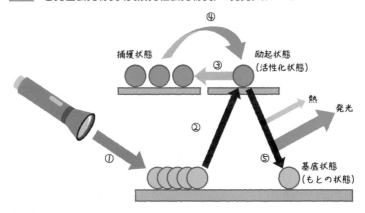

①紫外線が蛍光物質に届きエネルギーを得る。
②蛍光物質が活性化状態(励起状態)になる。
③活性化状態の物質が捕獲状態に移動する。
④捕獲状態の物質が少しずつタイミングよく励起状態に移り、連続的に⑤へ。
⑤物質が基底状態に戻るときに発光する。
※④でタイミングよく戻るのに適しているのが「ジスプロシウム」というレアアース

晴れた夜の夜明けは どうして寒いのか？

晴れた夜は朝になって太陽が昇ってくるまで、ずっと気温が下がり続けます。そのため夜明けが一番冷え込みます。これはどうしてかを考えてみましょう。

◎ 太陽が放射したエネルギーを受け取っている地球

冬場の天気予報で、気象予報士が「明日は晴れです。早朝の冷え込みが厳しくなります」というのを聞くことがあります。晴れた夜には気温が下がります。

これは地面から熱が放出されて温度が下がる**放射冷却**という現象が起こっているからです。

エネルギーが電磁波の形で物体から放出されることを**放射**といいます。絶対零度でない限り、すべての物体は放射によって熱を放出しています。

放射は、熱の移動の1つで、宇宙空間のようなほとんど何もないようなところで熱が移動できる唯一の方法です。

地球を温暖な環境にしているエネルギー源は太陽です。太陽のエネルギーは、宇宙空間を放射によって伝わります。地球に到達するエネルギーは太陽が放射するエネルギーのほんの一部ですが、そのエネルギーは地球を温め、大気や海洋の運動や生命の活動のもととなっています。

昼間の地面は太陽の放射（日射）を吸収しています。自分で熱を放出する量よりも、吸収によって受け取る量のほうが大きいので、地面は温まります。太陽が沈んで夜になると日射が届かなくなってしまうため、地面は自分から熱を放出するだけになります。そのため地面は冷えていきます。

図1　地球の「母」なる太陽

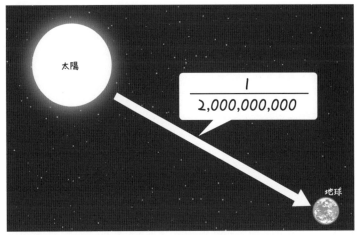

太陽が放射する全エネルギーの20億分の1くらいが地球に届いている

図2　地球に届いた太陽放射のゆくえは?

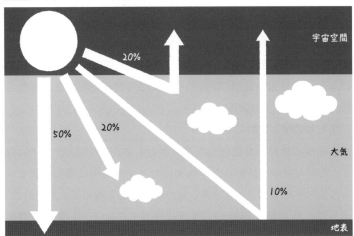

地球に届いた太陽放射のおよそ30%が大気や地表で反射される。20%は大気中の雲や温室効果ガスが吸収し、およそ50%を地表が吸収する

◎ 雲がない夜は地球が放射したエネルギーが宇宙空間へ

　晴れた夜の冷え込みがくもりの夜より厳しくなる理由も、放射によって説明できます。**雲がない場合、地面は放射によって熱を宇宙空間へと放出するのみ**です。一方、空が雲に覆われている場合は、雲からの放射によって地面が温められます。

　また、雲は地面からの放射を吸収することで、熱を受けとりますから、その放射は、地面から受けとった熱の一部を地面へ返しているということができます。

　「雲がなく晴れている」という理由以外で放射冷却がより大きくなる条件としては、風が弱く、地面近くの冷えた空気とその上のまだ暖かい空気が混ざり合わないことや、水蒸気（地面からの放射を吸収して熱を出す温室効果ガス）が少なく、空気が乾燥していることなどが挙げられます。

◎ エネルギーの放射は日常生活でも利用されている

　身近で見られる放射としては、**赤外線暖房器**があります。赤外線暖房器がすぐに体を温めるのは、放射による熱の移動があるためです。赤外線は目に見えませんが、赤外線と一緒に加熱部から出ている赤っぽい光の範囲、放射の届くところだけで温かさが感じられ、部屋の空気全体は温めません。

　私たちの体も放射しています。

　感染症の世界的な流行の水際対策として、空港やスタジアムなど、人が大規模に移動したり集まったりする場所に導入されている設備のサーモグラフィーや、耳の中で温度を測る耳式温度計は、赤外線の放射量を測定して温度に換算しています。**気象衛星**が測っている地表温度も赤外線の測定量です。そう考えると、放射という現象も身近なものに感じられますね。

図3　放射冷却のしくみ

雲からの放射は地面を温める

晴れた夜は地面からの放射
によって熱が放出されるのみ

図4　人工衛星の赤外線センサーで測定された海洋の温度

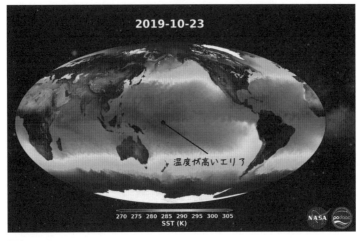

写真：NASA
https://podaac.jpl.nasa.gov/animations/Sea_Surface_Temperature_from_GHRSST_L4_MUR_
v4.1_Data_Animation

成分分子が「1個も残らないくらい薄めたもの」が効くというホメオパシー

欧米の一部で人気を博していて、わが国でも助産院などで使われて問題になったものがホメオパシーです。

ホメオパシーは18〜19世紀のドイツの医師・ハーネマンがはじめたもので、その症状によく似た症状を引き起こす物質を、その物質が含まれないくらいにまで水で薄めて砂糖玉にしみ込ませた「レメディ」を薬として使います。

「似たものが似たものを治す」「その病気や症状を起こしうる薬（や物）を使って、その病気や症状を治すことができる」という考え方（同種療法）です。

レメディの製法として推奨されている10の60乗倍の希釈を実行すると、理論上、もとの物質は1分子も含まれないことになります。しかし、分子はなくても、分子のもつ「パターン」や「波動」が水に残っており、薄めることで効能が高まるといいます。実際のところ、水と砂糖を摂取するだけなので、副作用がないのは確かです。

しかし、通常医療を受けないことによる命の危険があります。わが国でもホメオパシーで死亡事件が相次いで起きました。特に有名なのは、2009年に山口市で起こった「K2シロップ事件」です。日本ホメオパシー医学協会所属の助産師が、本来、投与すべきだったビタミンK2を投与せずにホメオパシーのレメディを投与して、生後2カ月の女児が「ビタミンK欠乏症」が原因で頭蓋内出血を起こし、死亡したのです。ホメオパシーは欧米で人気なので、疫学的な調査もたくさん行われていますが、「効能がある」とする根拠はありません。

第4章

まだある！
身近な「科学」

なぜリチウムイオン蓄電池は近年、注目されているのか？

携帯、スマホ、パソコン、タブレットなど、小型で大量の電力を消費するような端末に使われているリチウムイオン蓄電池。軽くて携帯性がよく、高出力で大容量という特徴をもっています。

◎ 電池の中で「電子を出す」物質と「電子を受けとる」物質

電池は、大きく**化学電池**と**物理電池**（太陽電池や光電池など）に分けられます。電池といえば、普通は化学電池を指します。化学電池は、**化学反応のエネルギーを電気エネルギーに変える装置**です。

化学電池は一般に、一度使い切ったら終わりの**一次電池**と、充電して何度も使用可能な**二次電池**に分けられます。一次電池にはマンガン乾電池、アルカリ（マンガン）乾電池、アルカリボタン電池、リチウム電池など、二次電池にはニッケル・カドミウム（ニッカド）蓄電池、ニッケル水素蓄電池、リチウムイオン蓄電池、鉛蓄電池、アルカリ蓄電池などがあります。

電池は「なくなる」まで、負極から回路を通って正極に電子が移動していきます。**負極側に電子をどんどん出してくれる物質があ るのです。正極側には、その電子を受けとる物質**があります。

たとえば、マンガン乾電池やアルカリ乾電池の負極は、**亜鉛**という金属です。では、正極はというと、実際に正極にあるのは炭素棒ですが、電子を受けとって反応する物質ではありません。この炭素棒は、**集電剤**という役目を担っているだけです。そこで、単に「負極」や「正極」というと、実際の主役が見えにくくなるので、実際の主役を**負極活物質**、**正極活物質**といいます。

マンガン乾電池やアルカリ乾電池では、負極＝負極活物質＝亜鉛です。金属の亜鉛Znが亜鉛イオンZn^{2+}になるときに電子を放出

図1 いろいろな電池

電池の名称		電池の構成			起電力 (V)
		負極活物質	電解質	正極活物質	
一次電池	マンガン電池	亜鉛	塩化亜鉛 塩化アンモニウム	二酸化マンガン	1.5
	アルカリ (マンガン) 電池		水酸化カリウム		1.5
	リチウム電池	リチウム	有機溶媒に リチウム塩を溶解	二酸化マンガン など	3
二次電池	鉛蓄電池	鉛	硫酸	酸化鉛(IV)	2
	ニッケル水素蓄電池	水素吸蔵合金	水酸化カリウム	水酸化ニッケル	1.2
	リチウムイオン 蓄電池	炭素とリチウム の化合物	有機溶媒に リチウム塩を溶解	コバルト酸 リチウムなど	3.7

図2 マンガン電池のしくみ

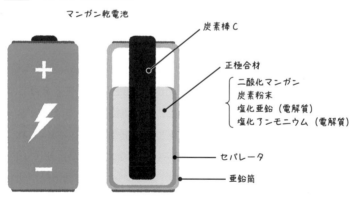

マンガン乾電池

炭素棒C

正極合材
  二酸化マンガン
  炭素粉末
  塩化亜鉛（電解質）
  塩化アンモニウム（電解質）

セパレータ

亜鉛筒

回路をつくると、負極活物質の亜鉛が亜鉛イオンになるときに放出した電子が負極から正極へ。正極活物質の二酸化マンガンが電子を受け取って、オキシ水酸化マンガンになる

します。亜鉛はイオンになりやすい——つまり、イオン化傾向が大きい金属です。

正極活物質は、マンガン乾電池、アルカリ乾電池ともに**二酸化マンガン**（正式名称：酸化マンガン（IV））です。

◎ 高性能だが制御が難しいリチウムイオン蓄電池

リチウムイオン蓄電池が高性能なのは、リチウムが非常に大きなイオン化傾向をもっている物質、つまり、**リチウムが非常に電子を放出しやすい物質**だからです。

リチウムの単体は銀白色の金属です。リチウムはすべての金属の中で最も密度が小さく（$0.53g/cm^3$）で、水の半分強しかありません。

リチウムを電池に使うと、イオン化傾向が大きいことと密度が小さいことから、エネルギー密度（質量または体積あたりの、電気エネルギーを出す容量）を大幅に高くできます。つまり**軽くて高出力の電池**にできるのです。

ただし、イオン化傾向が大きいということは、金属リチウムは、**水や空気（酸素）と出合うと簡単に化学反応を起こしてしまう**ということです。そのため、リチウムイオン蓄電池には、さまざまな工夫がされています。負極のリチウムは、黒鉛の層と層の間に入れてあります。これは2019年にノーベル化学賞を受賞した吉野 彰氏の考案です。また電解液に水を使わず、エチレン系の有機溶媒が使われています。

充放電は、リチウムイオンが電解液を介して正極～負極間をせわしなく動き回ることで行われます。このため、過充電したり、ショートさせたり、異常放電や異常充電、過加熱などを行うと、燃えたり、爆発したりします。そこで高度な制御機構が組み込まれています。

図3 イオン化傾向

イオン化列	水との反応	酸との反応	空気中での反応
リチウム Li カリウム K カルシウム Ca ナトリウム Na	冷水と反応	希酸と反応して H_2 を発生	内部まで速やかに 酸化される
マグネシウム Mg	沸騰水と反応		常温で表面が 徐々に酸化される
アルミニウム Al 亜鉛 Zn 鉄 Fe	高温の水蒸気と 反応		
ニッケル Ni スズ Sn 鉛 Pb 水素 H_2 銅 Cu 水銀 Hg	反応しない		
銀 Ag 白金 Pt		酸化力のある 酸に溶ける	酸化されない
金 Au		王水に溶ける	

図4 リチウムイオン蓄電池の原理のイメージ図

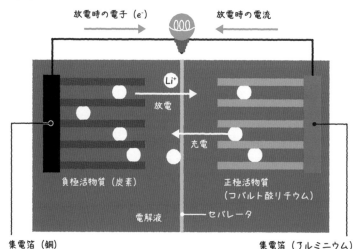

放電時の電子（e^-）　　　放電時の電流

Li$^+$

放電

充電

負極活物質（炭素）

正極活物質
（コバルト酸リチウム）

電解液　　　セパレータ

集電箔（銅）　　　　　　　集電箔（アルミニウム）

軽くて強い「炭素繊維」とは
どんな秘密をもった繊維なのか？

Q-45

> 炭素繊維は炭素だけからできている繊維。アクリロニトリルを無酸素状
> 態で熱して製造されます。スポーツ用品から航空宇宙分野まで、さまざま
> な場面で使われています。いったいどんな繊維なのか考えてみましょう。

◎ 炭素繊維は「軽くて、丈夫」

炭素繊維は、文字通り**炭素**でできている繊維です。セーターや毛布も炭素が入っている繊維からできていますが、炭素繊維とは呼ばれません。炭素繊維は**ほとんどすべて（日本工業規格では90%以上）が炭素だけ**でできています。特徴はとにかく軽くて丈夫なこと。樹脂などに混ぜて使われることが多く、航空機や人工衛星、身近なところでは釣竿やラケット、高級自転車などにも使われています。なお、炭素を使った先端材料には**カーボンナノチューブ**というものもありますが、こちらは炭素繊維とは呼ばれません。構造も製法も違います。

炭素繊維の材料には**PAN（ポリアクリロニトリル）系**と**ピッチ系**の2種類があります。よく使われているものはPAN系炭素繊維といって、PANを窒素の中で1000℃程度に熱してつくります。PANはアクリル繊維の主要成分で、PAN自体には水素や窒素など炭素以外のものがたくさん含まれていますが、酸素のない環境で熱することで、炭素を燃やすことなく、水素や窒素をガスにして飛ばしてしまえるのです。

◎ 炭素繊維は金属疲労もサビもない

では、なぜ炭素繊維は軽くて丈夫なのでしょうか。それは「炭素原子自体が軽い」ことと「炭素原子が強く規則正しくつながってい

図1　炭素繊維のさまざまな用途

人工衛星　　　　　　　　©JAXA　航空機

スポーツカー	釣り竿
船舶	ラケット
レントゲン機器	風車
車いす	産業機器
ロードバイク	

図2　炭素繊維の断面写真

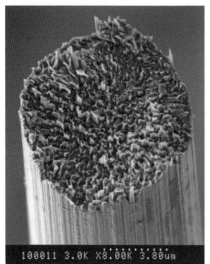

100011 3.0K X8.00K 3.80um

写真は8,000倍に拡大したもの
写真：三菱ケミカル株式会社

る」ことによります。

　原子の重さは原子量で決まりますが、炭素の原子量12は、鉄の原子量56やアルミニウムの原子量27よりかなり小さく、繊維にしたときの比重も圧倒的に軽くなります。

　丈夫さは炭素のつながり方によります。炭素同士は**共有結合**という強いつながり方をするため、**一般的な金属よりも丈夫**です。しかも炭素繊維は炭素以外の不純物が除去されているので、炭素同士が規則正しくつながり、一層丈夫になります。

　つながりが強いと「熱をよく伝えやすい」という性質も出てきます。さらに炭素の場合、もともと電気も伝えるため、金属では重くて困る部分を置き換えるのに適しています。

　また、金属に比べて疲労やサビもなく、**金属より優れた材料**として先端技術を支えています。

　なお、炭素では燃えやすいのではないかと思うかもしれませんが、炭素が規則正しく結合していると、外から酸素が入り込みにくいので、木炭ほど燃えやすくはありません。その他、X線透過性がよい、酸や摩耗に強いといった性質もあります。

◎ 炭素繊維にも２つの弱点がある

　しかし、炭素繊維にも短所はあります。

　まず、とにかく**値段が高い**ことが挙げられます。酸素のない環境で何度も熱してつくるため、どうしても製造コストがかかってしまいます。

　そして、丈夫なために逆に**加工が難しい**点も弱点になります。特にリサイクルが難しい点が問題点として挙げられています。

　とはいえ、炭素繊維はPAN系もピッチ系も日本で発明されたもので、製造シェアでは日本が世界のトップを走っています。

図3 炭素原子の模式図と共有結合

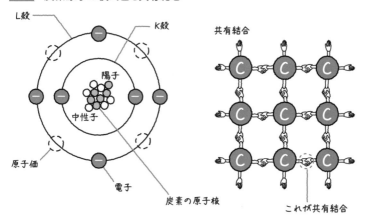

図3 PAN繊維から炭素繊維をつくる工程

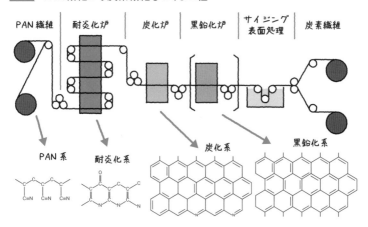

参考：JETI, 47, No.13（1999）をもとに作成。

90℃にもなる「サウナ」で
なぜ大やけどしないのか？

45℃以上の「お湯」には、やけどをするので入れません。しかし、90℃の「サウナ」には入れます。90℃の「サウナ」でやけどをしないのはなぜか考えてみましょう。

◎ お風呂のお湯が45℃以上だとやけどする

　人がやけどをするお風呂のお湯の温度は「45℃以上」といわれています。45℃なら1時間、70℃以上の高温なら1秒で皮膚組織の破壊がはじまるといわれています。45℃や70℃の液体の水は、気体である空気の30倍もよく熱を伝えます。また、もっている熱エネルギーの量（熱量）も気体より多いのです。**多くの熱量が効率よく伝わってくる**ので、皮膚表面がすぐ高い温度になってしまい、やけどをするのです。

◎ 皮膚の表面には薄い空気の層がある

　静かにしているとき、人の皮膚の表面は動かない空気の層におおわれています。いわば「**空気の着物**」を着ているような状態です。この空気の着物の温度は皮膚の温度とほぼ同じです。この空気の着物の厚さは、風がない状態で4〜8mm程度です。気体である空気は断熱性が高いので、薄くても熱を伝えにくいのですが、もちろんこの層が厚いほど、さらに熱を伝えにくくなります。風が吹くと、この空気の層の一部が吹き飛ばされて薄くなるので、風の温度を感じて涼しくなります。

　90℃のサウナにゆっくり入るとき、皮膚はこの空気の層におおわれています。じっとしていれば、この空気の層に90℃のサウナの空気がまとわりつきます。空気は液体よりも熱が伝わりにくい

図1 空気の層が人の体をおおっている

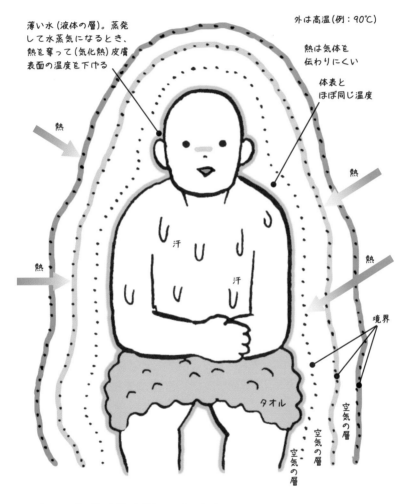

薄い水（液体の層）。蒸発して水蒸気になるとき、熱を奪って（気化熱）皮膚表面の温度を下げる

外は高温（例：90℃）

熱は気体を伝わりにくい

体表とほぼ同じ温度

熱

熱

熱

熱

汗

汗

タオル

境界

空気の層

空気の層

空気の層

空気の層が人の体を何層にも重なっておおっている

ので、90℃の空気がこの空気の着物の層を温めるスピードはゆっくりです。空気の層が皮膚に熱が伝わるのを防ぐバリヤーになるので、皮膚表面の温度上昇はさらにゆっくりです。

それでも皮膚の温度はゆっくりではありますが上昇するのですが、さらにそれを防いでいるのは**皮膚表面の薄い水（液体の層）**です。液体の水が蒸発し水蒸気になるとき熱を奪って（**気化熱**）、皮膚表面の温度を下げます。90℃の空気による温め効果と、皮膚表面の気化熱による冷却効果がバランスを保っているうちは、皮膚表面の温度は簡単には上がりません。

◎ バランスが崩れるとき

ところが、サウナ内で振られたタオルの熱波を受け取ったり、体を動かしたりすると、空気の層が薄くなります。熱波の勢いが強かったり、体の動きがすばやいほど薄くなります。そうなると**空気の層のバリヤー効果が小さくなる**ので熱さを感じます。

熱さを感じると自然と発汗し、液体の水が蒸発するので温度を下げます。ここで、水分が不足して満足に汗をかけなくなると、汗が蒸発するときの気化熱による冷却効果が少なくなるので、皮膚表面の温度が上がります。危険なのですぐに水分を補給しましょう。

◎ 金属に要注意

気体の空気より、**熱を伝える働きがはるかに大きいのが金属**です。ですからサウナには、「金属製品を身につけて入らないように」という注意書きをよく見かけます。熱を伝えやすい金属が体の表面とサウナの高温部分を直結し、熱を伝えるので「やけど」する危険があるのです。サウナ内の金属も高温になっているので触らないように注意が必要です。

図2　金属は熱をよく伝える

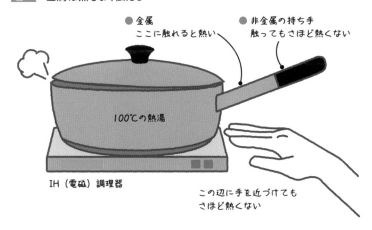

● 金属
ここに触れると熱い

● 非金属の持ち手
触ってもさほど熱くない

100℃の熱湯

IH（電磁）調理器

この辺に手を近づけても
さほど熱くない

お鍋の金属部は熱いが、お鍋からの距離が同じでも、空気中であればさほど熱くない

図3　気化熱とは？

新型コロナウイルスの予防などで手にアルコールを噴霧すると、手がスーッと涼しくなる。これは
アルコールが蒸発するときに手の熱を奪うため。これを気化熱という

Q-47 自然界の微生物に分解されやすいのは石けん？ 合成洗剤？

油汚れを落とせる石けんと合成洗剤。そもそも何が同じで何が違うのでしょうか。歴史的な背景とともに化学的な視点でそれぞれを解説し、そこから環境への影響について考えてみましょう。

◎ 石けんから合成洗剤へ

動物や植物から採れる油脂とアルカリ（水に溶かすとアルカリ性を示す物質）を化学反応させると、脂肪酸塩とグリセリンと呼ばれる物質が生成します。**この脂肪酸塩が、一般的に石けんと呼ばれる**ものです。

さて、石けんが油汚れを落とせるのはなぜでしょうか？ それは、石けんが**界面活性剤**として働くからです。界面活性剤とは、分子中に水となじみやすい部分（親水基）と油になじみやすい部分（疎水基）の両方をもっており、普通はなじみ合わない水と油を結びつけることで、汚れを材質から引き離せる物質です。

19世紀になって、界面活性剤として働く石けん以外の物質の開発が進みました。そこで生まれたのが**合成洗剤**です。特に石油を精製して合成された**側鎖アルキルベンゼンスルホン酸塩（ABS）**という界面活性剤を主成分とした合成洗剤は、1960年ごろには急速に広まりました。石けんは「石けんカスが生じる」「油汚れには強いが、石油系の汚れは落としにくい」「冷水では洗浄力が弱い」といった弱点がありましたが、ABSを含む合成洗剤ではそれらの弱点が改善されたのが広まった要因の1つです。

◎ 微生物に分解されにくかったABSは社会問題に

しかし、ABSの消費量の増大は、環境問題を引き起こすことに

図1　石けんをつくる化学反応式

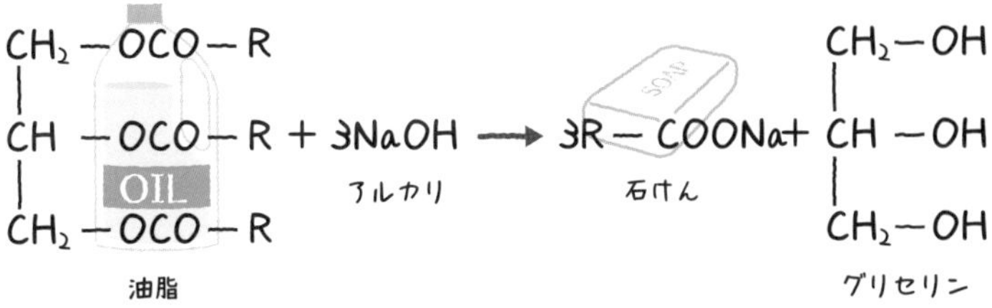

$$
\begin{array}{c}
CH_2-OCO-R \\
| \\
CH-OCO-R + 3NaOH \longrightarrow 3R-COONa+ \\
| \\
CH_2-OCO-R
\end{array}
\qquad
\begin{array}{c}
CH_2-OH \\
| \\
CH-OH \\
| \\
CH_2-OH
\end{array}
$$

油脂　　　アルカリ　　　　　　石けん　　　　　　　　　グリセリン

油脂にアルカリを加えて、石けんをつくる方法を「けん化法」と呼ぶ。現在は、脂肪酸に直接アルカリを加えて石けんをつくる「中和法」が主流

図2　界面活性剤の模式図と洗浄のメカニズム

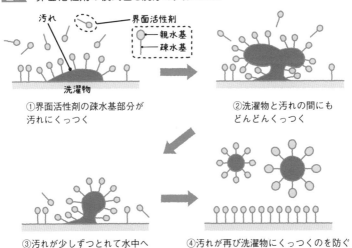

①界面活性剤の疎水基部分が汚れにくっつく

②洗濯物と汚れの間にもどんどんくっつく

③汚れが少しずつとれて水中へ

④汚れが再び洗濯物にくっつくのを防ぐ

図3　ABSとLASの分子構造の違い

ABS

疎水基に枝分かれ構造があり、微生物によって分解されにくい

LAS

LASは直鎖構造で枝分かれせず、石けんと分子の形が似ていて分解されやすい

なりました。1960年ごろから、河川で洗剤の発泡が目立つようになり、時間が経っても泡が消えないことが社会問題になったのです。調査の結果、**ABSは自然界の微生物に分解されにくい物質**であることがわかりました。

　微生物は、有機物を分解してエネルギーを得ています。私たちがごはんを食べてエネルギーを得ているのと同じです。石けんもABSも同じ有機物です。

　昔から自然界に存在する油脂からできている石けんは、微生物からすると「食べ慣れているごはん」なので短時間で分解することができました。しかし、石油から合成されたABSの構造は微生物にとって「食べ慣れていないごはん」であり、分解するのに時間がかかってしまったのです。

◎ 今の合成洗剤は分解されやすい

　ABSが環境問題を引き起こすことがわかると、この対策のためすぐにABSに代わる界面活性剤の開発が進みました。結果、微生物が食べやすい構造に変えた**直鎖アルキルベンゼンスルホン酸塩（LAS）**がABSに代わって使われるようになりました。

　現在では、ABSは一切使用されていませんし、LASよりもさらに分解されやすいものが開発され、主に使われています。**アルキル硫酸エステル塩（AS）などは石けんと同じくらい分解される**ことが知られています。

　合成洗剤というと、あたかも1つのものととらえがちですが、現在では、何十種類もの界面活性剤の組み合わせや、その他の成分の配合など、じつにさまざまな洗浄力と性質、生分解性をもたせています。自然からできた石けんはエコで、合成洗剤はそうではないといわれたりもしますが、一概には判断できません。

図4 多くの界面活性剤とその用途

系	材料	用途
陰イオン系	高級脂肪酸塩（石けん）	化粧石けん 洗濯せっけん 身体洗浄料
	アルファスルホ脂肪酸メチルエステル塩（α-SFE）	衣料用洗剤
	直鎖アルキルベンゼンスルホン酸塩（LAS）	衣料用洗剤 台所用洗剤 住宅用洗剤
	アルキル硫酸エステル塩（AS） アルキルエーテル硫酸エステル塩（AES） （モノ）アルキルリン酸エステル塩（MAP）	衣料用洗剤 身体洗浄料 シャンプー 歯磨き剤
	α-オレフィンスルホン酸塩（AOS）	衣料用洗剤 台所用洗剤
	アルカンスルホン酸塩（SAS）	液体洗剤
陽イオン系	アルキルトリメチルアンモニウム塩 エステルアミド ジアルキルジメチルアンモニウム塩 アミドイミダゾリン アルキルジメチルベンジルアンモニウム塩	リンス 柔軟剤 殺菌消毒剤 帯電防止剤
両性系	アミンオキシド（AO） アルキルベタイン	台所用洗剤 シャンプー
	アミドアミノ酸塩（AA）	シャンプー
非イオン系	グリセリン脂肪酸エステル ソルビタン脂肪酸エステル しょ糖脂肪酸エステル ポリオキシエチレン脂肪酸エステル ポリオキシエチレンソルビタン脂肪酸エステル 脂肪酸アルカノールアミド	化粧品用乳化剤 シャンプー 台所用洗剤 食品用乳化剤
	ポリオキシエチレンソルビタン脂肪酸エステル（AE） アルキルグリコシド（AG）	台所用洗剤 衣料用洗剤 住宅用洗剤 化粧品用乳化剤 シャンプー

なぜ、おならに火がつくの？

おならは、食べ物とともに飲み込まれた空気や、大腸内に住みついている腸内細菌の働きでできたガス、腸の粘膜を通して、血管内の血液からのガスなどが混じったものです。

◎ おならに含まれる燃えるガスは水素とメタン

おならに含まれる燃える成分は、主に**水素**と**メタン**という気体（ガス）です。

水素は、気体の中で最も軽く、無色・無臭です。水素原子が2個結びついた水素分子（H_2）からできていて、燃えると水になります。

メタンは、都市ガスの主成分で、やはり無色・無臭です。炭素原子1個に水素原子4個が結びついたメタン分子（CH_4）からできていて、燃えると二酸化炭素と水になります。

燃えるガスは、空気（酸素）が適当な割合で混ざっていて閉じた状態にしたところに火がつくと爆発が起こります。

爆発が起こる割合を**爆発限界**といいます。爆発限界は、水素では4〜75％、メタンでは5.3〜14％です。水素の爆発限界は、非常に広い範囲なので爆発事故が起こりやすく、よく学校の理科実験で爆発事故を起こしています。メタンは都市ガスのガス漏れによる爆発事故がときどき起こっています。

インターネットで検索してみると、「『おなら』は燃えるか？―小学生時代の実験報告」という記事がありました。小学生のときに、「お風呂で水上置換して集めたおならに点火して青白い炎を確認した」という報告です。また、手術中におならが発火したという事故も起こっています。おならには、このような燃える気体が含まれているので、火をつけると燃えるのです。

図1　水素とメタンの分子モデル

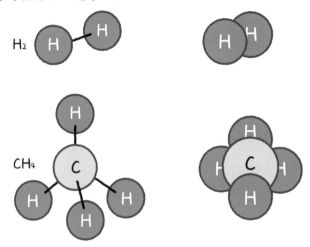

図2　水素とメタンの燃焼・爆発の化学反応

水素
$$2H_2 + O_2 \rightarrow 2H_2O$$

メタン
$$CH_4 + 2O_2 \rightarrow CO_2 + 2H_2O$$

図3　水素とメタンの爆発限界

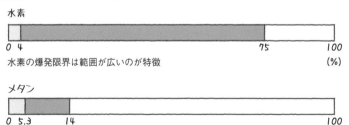

水素

| 0 | 4 | | 75 | 100 |

水素の爆発限界は範囲が広いのが特徴　　　　　　　　　　　　(%)

メタン

| 0 | 5.3 | 14 | | 100 |

メタンの爆発限界は水素よりもずっと狭い　　　　　　　　　　(%)

◎ NASAが実施した「おならの研究」

　「おならの研究」に真剣に取り組んだのは、アポロ計画やスペースシャトルで有名なNASA（米国航空宇宙局）の研究チームです。宇宙船の中は気圧を低くしてあるので、普段よりもおならが出やすい環境です。狭い宇宙船内で、臭くて有毒なおならがたまったら問題ですね。

　そのうえ宇宙食は、量は少ないけれども高カロリーなので、おならが出やすくなり、水素やメタンガスの産生量も多いので、場合によってはガス爆発の危険性もあるのです。

　彼らの研究によって、おならには、なんと**約400種の成分**が含まれていることがわかりました。

　おならの主な成分は、飲み込まれた空気中の窒素が60〜70％、水素が10〜20％、二酸化炭素が約10％。その他に、酸素、メタン、アンモニア、硫化水素、スカトール、インドール、脂肪酸、揮発性のアミンなどです。おならが臭いのは、アンモニア、硫化水素、スカトール、インドールなどのせいです。

　けっこう多いのは水素です。これは水素をつくる**水素産生菌の仲間**が大腸内で水素を発生しているからです。通常、糖質は胃や小腸で消化され、吸収されますが、吸収不良で大腸まできた食物繊維などの糖質をエサにして水素をつくるのです。

　私たちの腸内には通常、200 mL（ミリリットル。コップ1杯分）程度のガスがたまっています。おならやげっぷとして排出されるのは、お腹に入ったり、腸内で発生したりした気体のわずか10％に満たない量です。

　おならの量は食べ物や体調によっても異なってきますが、1回のおならで数 mLから150 mLほど、1日で約400 mL〜2 L出るといわれています。

図4 おならの成分の例

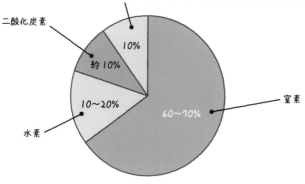

その他 (酸素、メタン、アンモニア、硫化水素、
スカトール、インドール、脂肪酸、揮発性のアミンなど)

二酸化炭素

窒素

10%

約10%

10〜20%

60〜70%

水素

図5 おならを増やさない5カ条

- 1. 食物繊維をとってよい便通を!

- 2. たまった便はさっさと出そう!

- 3. ゲップは我慢するな!

- 4. 食後、すぐに横になってはいけない!

- 5. 早食い、がぶ飲みは禁物!

出典:「我慢したおならはどこへ行く?」おとなのカラダゼミナール (日経Gooday、https://gooday.nikkei.
co.jp/atcl/report/14/091100018/092500001/)

新型コロナウイルスで話題の 「PCR」検査ってどんな検査？

ウイルスの検出法として広く知られるようになったPCRは、遺伝子鑑定にも利用されている「微量のDNAを大量に増やす方法」です。どうして大量に増やせるのか考えてみましょう。

◉ PCRはDNAの「人工的」な複製

遺伝子の本体として知られる**DNA**は、すべての細胞に存在しています。体細胞分裂が起こるとき、同一のDNAを2つの細胞へ均等に分けるため、もとのDNAを鋳型として1組複製されます。DNAは2本の長い分子がペアになるように結びつく**二重らせん構造**をとっています（図1）。2本を結びつけている部分が遺伝子の命令となるA（アデニン）、G（グアニン）、T（チミン）、C（シトシン）の4種の塩基で、それが直接鋳型となって新たなDNAをつくります。

細胞内でのDNAの複製過程を図2に示します。ヘリカーゼが二重らせん構造をほどき、DNAポリメラーゼが4種の塩基を鋳型としてDNAを合成し、結果的に2組が生じます。本来、細胞内で行われるこのDNA複製を、短時間で、しかも繰り返し連続的に行えるのが**PCR（ポリメラーゼ・チェーン・リアクション：ポリメラーゼ連鎖反応）**です。1回の複製ごとに、DNAの量が2倍になります。最初1対のDNAは、1回目の複製で2対になり、2回目で4対へ、3回目で8対へと倍々に増えます（図3）。1回の複製は数分ですむので、1対のDNAを1時間程度で1億対を超える量まで増やせるのです。

◉ 耐熱性のDNAポリメラーゼが発見されて大躍進

DNAの複製が短時間でできるのは、温度変化を巧みに利用しているからです。その過程は、次の通りです（図4）。

図1 DNAの二重らせん構造

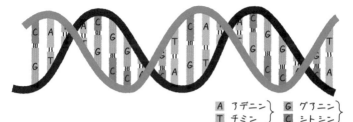

A（アデニン）、T（チミン）、G（グアニン）、C（シトシン）が遺伝子の命令になる。通常はそれらが結合し、安定な二重らせん構造になっている

図2 DNA複製の過程

ヘリカーゼ（H）は右方向に移動しながら、二重らせんをほどく。すると1本鎖のDNAが2本生じる。1本鎖になったDNA上をDNAポリメラーゼ（P）が移動し、二重らせん構造のDNAが複製されてくる

図3 PCRによるDNA複製

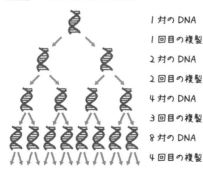

1対の DNA
1回目の複製
2対の DNA
2回目の複製
4対の DNA
3回目の複製
8対の DNA
4回目の複製

1回複製させるごとに、DNAが2倍に増えていく

①高温（92℃前後）にして、二重らせん構造をほどく。

②温度を下げて（60℃程度）、ほどいたDNAに複製のもととなるプライマー（短い断片）を結合させる。

③少し温度を上げて（65〜70℃程度の範囲）、DNAポリメラーゼの働きでDNAを複製させる。

　①〜③は数分で終わる1回の複製であり、これを繰り返します。このDNAの複製も温度が高いほうが高速でできますが、一般的な細胞内にあるDNAポリメラーゼは、90℃だと熱変性を起こし働けません。「生卵がゆで卵になるともとに戻れない」のと同じことです。ですから、通常のDNAポリメラーゼでは、この複製を行うことができません。

　それを可能にしたのが、**高温でも働く耐熱性のDNAポリメラーゼの発見**です。この発見がPCRを可能にしたのです。それは、温泉で生息する菌（好熱菌）の中に存在していました。現在は、より高温で効率よくDNAを複製できる耐熱性のDNAポリメラーゼを利用できるようになり、世界各地でPCRができるようになってきました。

◎ 新型コロナウイルスのRNAからDNAを合成して増やす

　図4の②で利用される水色のプライマーを新型コロナウイルスを認識するプライマーにすると、新型コロナウイルスの有無を判定できます。その方法を図5に示します。

　コロナウイルスはRNAウイルスの一種で、DNAの代わりにRNAを遺伝子としています。RNAとDNAは似ていますが、PCRではRNAを増やすことができないので、DNAを合成して利用します。

　PCRは生物学の研究でも以前から利用されており、生物系の研究室でもかなり普及しており、筆者の研究室にも1台あります。

図4 PCRのしくみ

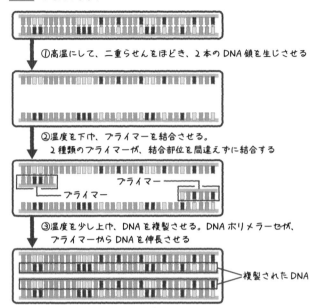

①高温にして、二重らせんをほどき、2本のDNA鎖を生じさせる

②温度を下げ、プライマーを結合させる。
2種類のプライマーが、結合部位を間違えずに結合する

プライマー
プライマー

③温度を少し上げ、DNAを複製させる。DNAポリメラーゼが、
プライマーからDNAを伸長させる

複製されたDNA

2対のDNAがともにサイクルを繰り返すと、4対に、さらに繰り返すと8対にと、倍々に増えていく

図5 新型コロナウイルスのPCR検査の方法

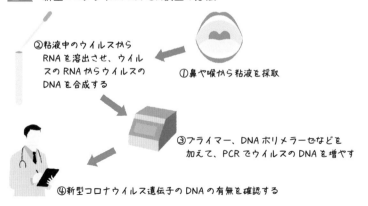

②粘液中のウイルスから
RNAを溶出させ、ウイル
スのRNAからウイルスの
DNAを合成する

①鼻や喉から粘液を採取

③プライマー、DNAポリメラーゼなどを
加えて、PCRでウイルスのDNAを増やす

④新型コロナウイルス遺伝子のDNAの有無を確認する

Q-50 「都市鉱山」てどこにある鉱山？

> 都市鉱山とは、都市でゴミとして大量に廃棄される家電製品などの中に存在する有用な資源（レアメタルなど）を鉱山に見立てたものです。それは再生可能な資源の1つといえます。

◎「都市鉱山」とは？

　日本はかつて銀や銅の世界有数の産出国でした。しかし、資源が枯渇し、また人件費や環境対策費の上昇などにより採算がとれなくなって閉山が相次ぎました。現在、わが国の金属鉱山で操業しているのは菱刈金山（鹿児島県）のみとなっています。そのため、わが国は必要な金属資源のほぼ全量を海外からの輸入にたよっています。

　しかし、「**都市鉱山**」いう観点から見ると、わが国は世界有数の資源大国になります。都市鉱山とは、都市で大量に廃棄される家電製品などに有用な金属資源が多く含まれることから、それらを1つの鉱山と考えてリサイクルしていこうという考え方です。

　つくられては捨てられる家電や自動車、そうした工業製品に使われている電子回路基板には、金や銀といった貴金属、白金、インジウムといった**レアメタル**が使われています。

　レアメタルは希少な金属です。現代科学産業で重要であり、わが国の埋蔵量が少なく、技術的・経済的な理由で抽出困難な金属です。わが国では47元素が指定されています。金、銀はレアメタルに指定されていません。なお、似た言葉に**レアアース**（希土類）があります。レアアースは、レアメタルのうちスカンジウム、イットリウムの2元素に15元素を加えた計17元素のことです。

　レアメタルは、素材に少量添加するだけで性能が飛躍的に向上するため「産業のビタミン」とも呼ばれています。目に触れるとこ

214

図1 都市鉱山と天然鉱山のフローの比較

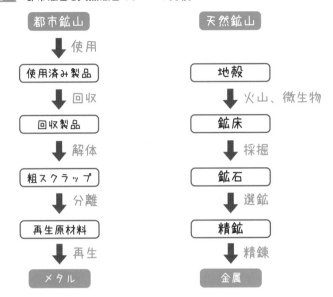

都市鉱山

- 使用
- 使用済み製品
- 回収
- 回収製品
- 解体
- 粗スクラップ
- 分離
- 再生原材料
- 再生
- メタル

天然鉱山

- 地殻
- 火山、微生物
- 鉱床
- 採掘
- 鉱石
- 選鉱
- 精鉱
- 精錬
- 金属

図2 スマホに使われている主な貴金属やレアメタル

- 振動モーター
  ネオジム Nd
  ジスプロシウム Dy

- 液晶画面
  インジウム In

- ICチップ
  金 Au
  銀 Ag

- コンデンサ
  タンタル Ta
  マンガン Mn
  ニッケル Ni
  バリウム Ba
  チタン Ti
  パラジウム Pd

- バッテリー
  リチウム Li
  コバルト Co

ろにはさほど存在しませんが、主な用途としてはテレビ、携帯電話、デジタルカメラをはじめとした電子機器があり、「レアメタルなくして日本の工業製品はできない」といっても過言ではありません。

◎ 塵も積もれば山となる

　1枚の基板に使われる貴金属やレアメタルはごく微量であっても、数が集まるとバカにできません。独立行政法人 国立環境研究所の循環型社会・廃棄物研究センターによると、**パソコンの基板1トンから約140gの金が取り出せる**ということです。

　実際の金鉱山を発掘した場合、1トンの金鉱石から3～5g程度しか金を取ることはできませんから、都市鉱山がいかに豊かな資源であるかわかります。

　国立研究開発法人 物質・材料研究機構が2008年1月に発表した

図3 レアメタル（濃いブルー）とレアアース（薄いブルー）

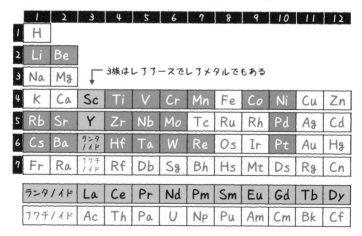

試算によると、日本に蓄積されている金は、約6,800トン。これは、世界の現有埋蔵量42,000トンの約16％にあたります。銀は、60,000トンで22％を占めます。インジウムは61％、スズ11％、タンタル10％と、世界埋蔵量の1割を超える金属が多数あることがわかりました。

都市鉱山は、稀少金属資源のリサイクルを象徴的に表す言葉といってもよいでしょう。

しかし、稀少金属の中には、現時点では埋蔵量に見合った有効利用がされていないものもあります。その原因は、「廃棄物の回収ルートが整備されていない」「廃棄物の品質（濃度、共存物質）が一定でないので、資源化することが技術的にもコスト的にも天然資源に比べて難しい」からです。現在、都市鉱山を有効に利用するための技術開発が進められています。

13	14	15	16	17	18
					He
B	C	N	O	F	Ne
Al	Si	P	S	Cl	Ar
Ga	Ge	As	Se	Br	Kr
In	Sn	Sb	Te	I	Xe
Tl	Pb	Bi	Po	At	Rn
Nh	Fl	Mc	Lv	Ts	Og

Ho	Er	Tm	Yb	Lu
Es	Fm	Md	No	Lr

ジェット旅客機の「酸素マスク」は 化学反応で酸素をつくるって本当？

> ジェット旅客機は「最も安全な乗り物」といわれますが、ひとたび事故が
> 起きると大変です。空気の薄い上空での非常時に呼吸を確保するための
> 酸素マスクはどういうしくみか考えてみましょう。

◎ 客室に送られるのは圧縮空気の一部

　ジェット旅客機が飛ぶ高度1万～1万2,000mは空気がとても薄く、地上の4分の1～5分の1しかありません。温度は−70℃になることもあります。もし、この外気で直接換気しようとすれば、低圧・低温で呼吸できません。では、どうやって空気を入れ替えているのでしょうか？　ジェット機はジェットエンジンの燃料を燃やして推進力を得ていますが、上空の薄い空気では酸素が足りず、うまく燃焼しません。そのためコンプレッサーという装置を使って圧縮し、濃くしてから燃料と混ぜて燃やしています。**客室内にはこの圧縮した空気の一部**が送られます。

　断熱圧縮により、空気は200℃もの高温になっています。エンジンから送り出された高温の空気は、低温の外気を利用した冷却器を通して適温まで下げられ、約0.8気圧に調整されて機内に送られます。このしくみによって、機内の空気は数分で入れ替わります。

◎ 非常用酸素はその場の化学反応でつくる

　ジェット旅客機の機内には、あらかじめ緊急用の酸素ボンベが搭載されていますが、重くてかさばるため、乗客乗員全員に対応できる量を搭載できません。では、非常時に使われる酸素マスクの酸素はどのようにしてつくられるのでしょうか。

　酸素は化学反応によって、その場でつくられるのです。ここで使

図1 ジェット旅客機の客室内に空気を送るしくみ

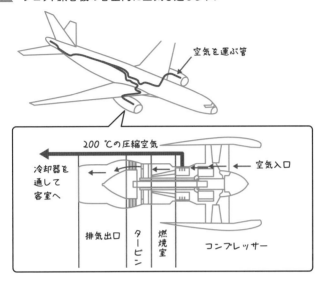

図2 客室用のカートリッジ型酸素発生装置

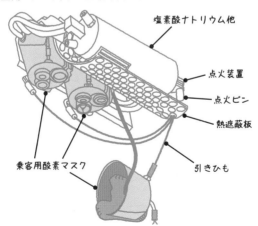

この図の装置の場合、3つの酸素マスクのうち、どれか1つの引きひもを引くことにより、酸素の発生がスタートする

われる薬品は、**塩素酸ナトリウム**を主成分とした化学物質の混合物です。塩素酸ナトリウムは加熱すると分解されて、**酸素**が発生し、後に**塩化ナトリウム**、いわゆる食塩が残ります。酸素マスクの引きひもを引っ張ると、**発熱反応**が起こり、次に酸素を発生する**化学反応**が起こります。

　離陸前に行われる緊急事態の対処法のデモンストレーションでは、必ずマスクを引っ張って装着することを指示されます。ひもを引くことで、点火ピンが外れ、酸素が発生する化学反応がスタートするのです。一旦反応がはじまると、途中で止めることはできません。酸素が出てくるのは、12〜15分程度といわれています。

◎ まずは自分の呼吸を確保する

　マスクには袋がついていますが、これは酸素をためるもので、風船のようにふくらむわけではありません。それを知らずに、酸素が出ていないと勘違いすることがあるそうです。あくまで、マスクの中の酸素が周囲の薄い空気中に出ていかないようにするためのものなので、**しっかりと口に当てることが重要**です。

　何かのトラブルで機内の気圧が低下すると、酸素の欠乏で15秒以内に意識を失う可能性があります。それを防ぐために、酸素マスクが下りてきたら、**まず自分が装着する**ように教えられます。子どもなど、他の人のことを心配しているうちに自分が酸欠で倒れたら、子どもも助かりません。だから、まず自分の呼吸を確保することが最優先なのです。その後、周囲の人を助ければいいのです。

　酸素ボンベは航空手荷物だと「危険物」なので、持ち込みが認められるのは基本的に医療用に限られます。航空機の非常用酸素マスクは安全性や重量の課題を解決するため、**化学的酸素発生装置**が採用されているのです。

図3　非常用酸素マスクの装着

①マスクが下りてきたら、引き下ろす。化学反応がはじまる
②マスクを口に当てて、ゴムひもを後ろに回す
③酸素が出てきているので、自分の呼吸をしっかり確保する
④子どもなど、周囲の人の呼吸をサポートする

なぜ「覚醒剤」に手を出すと いつまでもやめられないのか？

恐ろしい覚醒剤。怖い薬とわかっていても、それに手を出し、依存症に
なってしまう人が後を絶ちません。なぜ、人は覚醒剤に依存するように
なってしまうのか探ってみましょう。

◎ 1940年代には薬局で売られていた覚醒剤

覚醒剤とは、覚醒剤取締法に規定された、フェニルアミノプロパン（アンフェタミン）やフェニルメチルアミノプロパン（メタンフェタミン）、およびその塩類やそれらを含有する物質の総称です。自然界には存在せず、化学的に合成された物質です（図1）。このうち日本で濫用されているものは、ほとんどが**メタンフェタミン**です。太平洋戦争中に兵士や工員の士気を高め、集中力を増すために軍で使用されていました。

戦争が終結し、旧日本軍から大量のメタンフェタミンが民間に出回りました。「**ヒロポン**」という名で、普通の薬局で販売されており、1940年代には、なんと雑誌や新聞広告（図2）もありました。「ヒロポン」の語源は「疲労をポンと取るから」といわれていますが、正しくはギリシア語の「フィロポヌス」（労働を愛する）です。当時は濫用者があふれ、大きな社会問題になりました。

1951年には「覚醒剤取締法」ができ、覚醒剤を使用することはもちろん、所持することすら禁止されました。しかし21世紀の日本でも、覚醒剤は「シャブ」「スピード」「アイス」「やせ薬」「S」などと呼ばれて闇取引されており、覚醒剤の依存症に苦しむ人が後を絶ちません（図3）。

現在の薬事関係検挙者のうち、最も多くの割合を占めるのが、覚醒剤濫用によるものです。

図1　アンフェタミン（左）とメタンフェタミン（右）

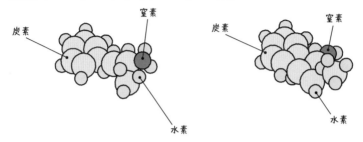

図2　「ヒロポン」の雑誌広告

1940年代の雑誌に掲載されていた。「除倦覚醒剤」の文字が見える。「ヒロポン」は大日本製薬の商品名で、他社では、「ホスピタン」「ネオパンプロン」「ネオアゴチン」などと呼ばれていた　　　　　　　　　　写真：ウィキペディア

図3　覚醒剤検挙者の推移

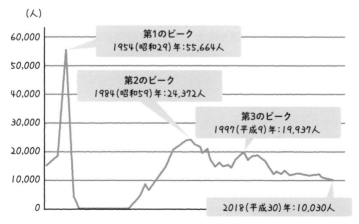

（人）

第1のピーク
1954（昭和29）年：55,664人

第2のピーク
1984（昭和59）年：24,372人

第3のピーク
1997（平成9）年：19,937人

2018（平成30）年：10,030人

◎「快感物質」ドーパミンが異常に増える

　法律で厳しく規制されているにもかかわらず、濫用する人がなかなか減らないのは、一旦、覚醒剤を使ってしまうと、その魔力にとりつかれてしまうためです。それは、覚醒剤と脳内の神経伝達物質**ドーパミン**（図4）の関係によるものです。ドーパミンは、脳を覚醒させたり、集中力を高めたり、快感を与えたりします。快感を感じるようなことは、脳内のドーパミン分泌量が多くなっているのです。

　ドーパミンは、脳内における特定の神経細胞の端末内部で分泌され、神経細胞間のすき間に放出されます。それが、次の神経細胞の受容体に受け渡されることによって信号が伝わります（図5）。放出されたドーパミンは、もとの神経細胞に再吸収されるか、酵素に分解されるかして、神経端末間の濃度が増えすぎないようになっています。

　メタンフェタミンは、多くの薬物をブロックしている脳の「関門」を簡単に通り抜け、ドーパミンと神経細胞との関係に影響を与えてしまいます。メタンフェタミンは、ドーパミンの分泌を促進し、再吸収の邪魔もします（図6）。そのため、**神経端末間のドーパミンが異常に増え、快感が増大**します。覚醒剤摂取による強烈な快感や、高揚感や多幸感は、3時間から12時間あまり持続し、その間は食事も必要とせず、眠気も感じません。「覚醒剤」と呼ばれるのはこのためです。

　あまりに強烈な快感のため、薬が切れた後は、その反動で強烈な虚脱感と不安感に襲われます。そこから逃れるために、ふたたび薬を使うことになり、より多くの薬がなくてはいられなくなる**依存症**になってしまいます。一旦依存症になると、簡単には抜け出せない悲惨な状況に陥ってしまいます。

図4　ドーパミンの構造

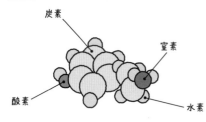

炭素

窒素

酸素

水素

アンフェタミンやメタンフェタミンは、
ドーパミンとよく似た構造をしている

図5　神経細胞とドーパミン

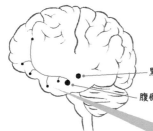

黒質（A9神経）

腹側被蓋野（A10神経）

脳の内部にある
ドーパミン作動系神経

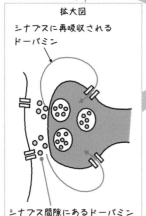

拡大図

シナプスに再吸収される
ドーパミン

シナプス間隙にあるドーパミン

拡大図

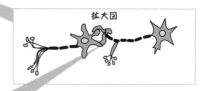

図6　神経端末でのメタンフェタミンの
ふるまい

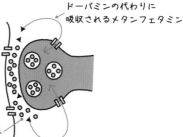

ドーパミンの代わりに
吸収されるメタンフェタミン

ドーパミンが過剰になった
シナプス間隙

「雷」はなぜ落ちるのか？

> 雲から地上に向かって落ちる「雷」がよく撮影されるようになりました。雲の中の電気が地上に向かって飛んでくるのが雷です。そのしくみや、電気が発生する過程を考えてみましょう。

◎ 積乱雲の中で静電気が発生する

夏はよく**積乱雲**が発生します。積乱雲は「雷雲」とも呼ばれますね。最初に積乱雲について、くわしく見ていきましょう。積乱雲は、寒気が暖気を押し上げる寒冷前線の周りや、夏に広い平地で温められた空気が膨張することで激しい上昇気流が起こると発生します（図1）。

積乱雲は高度3,000m付近から高度1万3,000m付近にまで達する背の高い雲です。内部では上昇気流と下降気流が激しく入り混じって、雨粒や氷の塊である雹がぶつかり合い、この**摩擦によって静電気が発生**しています。

まだ完全には解明されていないのですが、このときの水滴や氷の粒の大きさの違いによって、**高度が高いところ（雲の上部）に「プラスの電気（電荷）」**が、**低いところ（雲の底）には「マイナスの電気（電荷）」**がたまっていくことがわかってきました。

積乱雲の雲頂は地上1万3,000m（13km）、雲底は地上3,000m（3km）付近にあるため、雲頂と雲底は10km近くも離れています。一方、雲の底と地表は3kmしか離れていません。

そうなると、近いほうの地面には、雲の底にたまったマイナスの電気に引き寄せられるようにして、プラスの電気が集まってきます。これを「**静電誘導**」といいます。この静電誘導によって、発達した積乱雲の底と地面の間に、雷が発生する準備が整いました。

図1 積乱雲の成長と静電気の発生

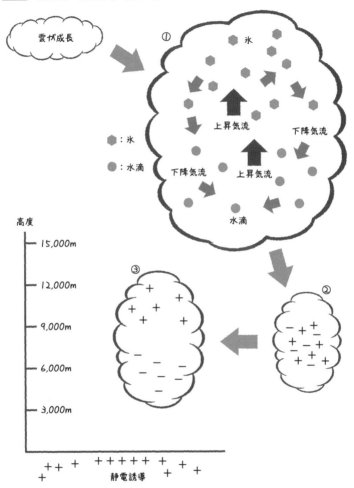

① 積乱雲の中で水滴や氷の粒がぶつかり、摩擦により静電気が発生する
② プラスの電荷をもつ粒子が上に、マイナスの電荷をもつ粒子が下に集まる
③ 電気のプラスとマイナスが引き合い、静電誘導により、距離の短い地表側にプラスの電荷
　が引き寄せられ集まってくる

雲の底にたまったマイナスの電気が地上のプラスの電気へ向けて移動するのが雷という現象です。

◎ 先駆放電（ステップトリーダ）は「見えない雷」

雲底と地表との電圧差が大きくなると、マイナス側の雲底からプラス側の地表に向けて**電子**が飛び出します。電子は、空気の気体原子とぶつかって弾き飛ばされます。弾かれた電子はまた別の気体原子とぶつかります。

原子と電子の当たり方はランダムですが、弾き飛ばされた電子は、プラス側の地面へ引き寄せられるので、おおよそは下方向に向かうことになります。

これが繰り返されて電子がジグザグの束になって飛んでくるのが「**先駆放電（ステップトリーダ）**」です。

先駆放電は、空気にぶつかりながら進んでくるので、ところどころで細かく折れ曲がり、枝分かれもします。1回に進むことができる距離は50mほどなので、何度も繰り返しながら段階的に（ステップ）地表に接近します。

先駆放電は通常、目には見えないのですが、地表と接すると、プラス側（地表）からマイナス側（雲）へ大電流が流れます。これが主放電の「**帰還雷撃（リターンストローク）**」です（図2）。

空気は絶縁体ですが、帰還雷撃によって熱せられてイオン化すると電気が通りやすくなります。最初に帰還雷撃が通ったジグザグの道をなぞるように、0.05秒以内に雲から地表へ**先行放電（ダートリーダ）**が起こり、再び帰還雷撃が発生、さらに0.03秒以内に第3の先行放電・帰還雷撃が発生することもあります。

この一連の放電・発光現象が**稲光**、加熱された空気が膨張して大音量を出すのが**雷鳴**、両者を合わせたのが**落雷**です。

図2 雷のメカニズム

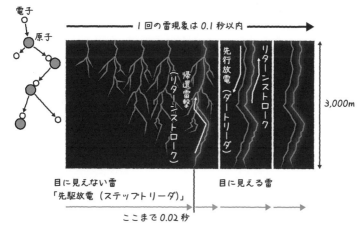

雲の底からマイナスの電気（電子）が飛び出して原子に当たると、さらに電子を弾き飛ばしながらジグザグに枝分かれして、下方向に進む

図3 冬の落雷に注意

日本海側は冬季に不安定な大気になりやすい。低めの雲の中で、乱気流によって静電気がたまり、複雑に入り混じることがある。落雷の発生回数は夏より少ないものの、雲が低いところにできるため、1回の落雷エネルギーは、夏季の数十〜100倍になることもある

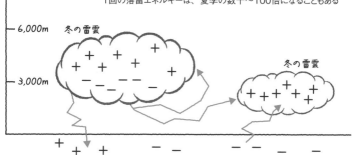

夏ほど上昇気流が強くなく、雲は低い。雪や雨で雲の中の電荷も地表に落下することがある。雲と雲の間で落雷したり、地表から雲へ向かう雷も起こる

電子レンジは「食品を変質させるから有害」という説のおかしさ

電子レンジは火ではなくマイクロ波領域の電磁波で食品を温めます。食品に含まれている水にマイクロ波を吸収させて食品を内部から熱しています。火の場合は、火で鍋やフライパンなどを熱して温度を上げます。温まった鍋やフライパンが、そこに入っている食品や水を温めます。この場合、温まるのは水だけではなく食品全体です。鍋やフライパンの調理でも「食品を消化しやすくする」などの変質が起こっています。

一方、電子レンジは水だけを温めます。陶器なども温めますが、ほんのわずかです。食品には必ず水が含まれていますから、水だけを温めても食品を温めることができるのです。

「電子レンジは有害」説を述べる人は、「電磁波」という言葉に反応します。電子レンジが出す電磁波で食品を温めると、「電磁波（マイクロ波）は放射線を当てているようなもので放射能汚染される」とか「食品の中の物質に電磁波が残留する」とか「食品中に自然界にない物質ができてしまう」といって非難します。

まず、放射能汚染を起こす放射線は、正確には電離放射線といい、α線、β線、γ線などですから、マイクロ波はそれらと大きく違います。γ線で波長は0.01μm以下、電子レンジに使っているマイクロ波の波長は12.2cmほどです。マイクロ波には物質中の原子などから電子を弾き飛ばす（電離する）働きはありませんし、食品中に残留もしません。

電子レンジは、食品の内部まで簡単に加熱できて調理時間も短く、直接的な火や、鍋などの金属や陶器で食品の表面から全体を温めたりするよりも、食品中の物質の変化はおだやかです。

「活性酸素を除去する」などといわれて ブームになった水素水

水素水のブームは、2007年に、日本医科大の太田成男教授（細胞生物学）の研究チームが「水素ガスが有害な活性酸素を効率よく除去する」とする論文を「ネイチャー・メディシン」（電子版）に発表したことがきっかけとされています。

動物実験レベルの研究ですが、これにより水素ガスの効能に注目が集まりました。太田氏は、「水素の効能は、活性酸素の中で最も酸化力が強くて悪玉のヒドロキシルラジカルだけを選択的に除去できることにある」といいます。

水素は水1Lに1.6mgしか溶けませんから、水素水に含まれる水素はわずかです。ペットボトルでは水素が抜けてしまうので、水素が抜けないアルミパウチなどの容器に保存しますが、フタを開けると水素はかなり空気中に逃げてしまいます。「水素水摂取」ではなく「水素吸引」も行われています。

水素水の最大の問題は、「活性酸素を除去」「がんを予防」「ダイエット効果がある」などといわれているものの、人での有効性について信頼できる十分なデータがないことです。

実は、大腸には水素産生菌がいて、水素を多量に産生しています。大腸内の腸内細菌によって発生するガスは毎日7〜10Lもありますが、その1〜2割は水素です。一部はおならとして外部に出ますが、大部分は体内に吸収され、血液循環に乗って体内の細胞に行きます。その中の水素は、水素水から摂取する水素量と比べてはるかに多量です。もし、今後、水素に医学的な効果があるとした研究結果が出ても、水素水から微量の水素を摂取するより、水素産生菌が多くなる食べ物を摂取したほうがいいでしょう。

ゲルマニウムやチタンのブレスレットに「疲れが取れる」などの効果はない

　1999年から2002年にかけて、あるテレビ番組がマイナスイオンの特集番組を組み、マイナスイオンの驚くべき効能をうたいました。プラスイオンを吸うと心身の状態が悪くなるのに対し、マイナスイオンは空気を浄化し、吸えば気持ちのイライラがなくなり、ドロドロした血ではなくなり、アトピーや高血圧などに効く――つまり健康によい、としたのです。テレビの影響は大きく、マイナスイオンは流行語となりました。

　その後、「マイナスイオンが出る」とされる、さまざまな商品が出現しました。ゲルマニウムやチタンのブレスレットやネックレスは「マイナスイオンが出るから健康によい」という宣伝もされました。ゲルマニウムが含まれているブレスレットなどのアクセサリを身につけると「貧血によい」「疲れが取れる」「発汗する」「新陳代謝がよくなる」などの効果をうたったのです。鉱物のトルマリン入りの商品やトルマリンを使った水、磁石を使った水の処理機器もマイナスイオンをうたいました。

　しかし、「マイナスイオンなるものの実体がはっきりしない」「健康によい証拠はない」「ものによっては有害なオゾンを発生する」などの批判で、ひところのブームは終息したのです。

　マイナスイオンの効果をうたう商品には、「マイナスイオン測定器」なるもので測定したという「1cm³あたり数十万個」などという数値がよくついています。しかし、空気の分子数は、1cm³あたり約2,690京（26,900,000,000,000,000,000）個もあるのです。それと比べると、本当に微々たる数値であることに留意しましょう。

おわりに
～科学を文化の1つとしてとらえて楽しむ～

　人間の一番の特徴はなんでしょうか？

　私は、「直立二足歩行」をすることだと考えています。

　今のところ、人類の進化をさかのぼると、約700万年前、ア
フリカでチンパンジーと共通の祖先から分かれた初期猿人
が、森林で直立二足歩行を開始したことに行きつきます。ア
フリカ中央部のチャドで発見された「サヘラントロプス」と呼
ばれる猿人です。

　その後、約580万～440万年前に「ラミダス猿人」が現れま
した。これら最古の人類の体の特徴から、初期猿人は森から
草原に出るときに、四つ足から徐々に体を起こして立ち上
がったのではなく、森に住んでいたときから腰を伸ばし、立っ
ていたことがわかりました。

　人間は、直立二足歩行をすることで歩行から自由になった
「手」で道具をつくりました。ものづくりができるので、人間
を「ホモ・ファベル」（製作者）と規定できます。

　背骨が重力と平行になったことで支えられる重量が増え、
脳が大きく発達できるようになりました。道具づくり・道具の
使用と大脳の発達は相互に作用しあっていたことでしょう。
そこで、人間は「ホモ・サピエンス」（思索者）とも規定できます。

喉の部分が広い空間になり、舌の活動範囲が大きくなって、言語能力を発達させました。言語能力は抽象化する能力を発達させました。芸術を楽しむ心、他者を思いやる心、未来に向かう心も発達させました。人間は、積極的に何らかの楽しみなしには生きがいを感じられないので、「ホモ・ルーデンス」（娯楽者）でもあります。

人間が「直立二足歩行」することで、前足が歩くことから解放されて道具をつくる手になったこと、大きく重い頭を支えられるようになったことが、「ホモ・ファベル」（製作者）、「ホモ・サピエンス」（思索者）、「ホモ・ルーデンス」（娯楽者）という諸側面をもつことになったのでしょう。

人間は二足歩行と引き換えに、腰痛と内臓下垂、さらに難産という三重の苦難を背負いましたが、それを超えるプラス面を得たことでしょう。

特に私たち執筆メンバーの科学コミュニケーション活動からすると、「ホモ・ルーデンス」（娯楽者）の立場を重視したいと思います。そのとき、皆さんに、体を動かす活動、文学や芸術を楽しむ活動に加えて、科学を楽しむ活動も加えていただきたいと願っています。つまり、科学を文化の重要な1つとしてとらえて欲しいという願いです。

本書が、科学を楽しむ活動への一歩になれば幸いです。

編著者　左巻健男

主要参考文献

● Q-01

「電波時計のしくみ」SEIKO

https://www.seikowatches.com/jp-Ja/customerservice/knowledge/wave

『今いる』場所・時間がわかる測位とは」JAXA

https://www.jaxa.jp/countdown/f18/overview/gps_j.html

● Q-03

江馬一弘／著『光とは何か』(宝島社、2014年)

● Q-04

"Rayleigh-Benard Convection Cells", NOAA Phygical Sciences Laboratory.

https://psl.noaa.gov/outreach/education/science/convection/RBCells.html

有田正光／編著、岡本博司、小池俊雄、中井正則、福島武彦、藤野 毅／著『大気圏の環境』(東京電機大学出版局、2000年)

「NGKサイエンスサイト　対流がつくる不思議な模様」日本ガイシ株式会社

https://site.ngk.co.jp/lab/no79/

水島二郎、大和忠夫「ベナール対流における形の形成」『数理解析研究所講究録』1993年、第852巻、p.37-51.

藤村薫「熱対流パターンの選択機構を探る」『基礎科学ノート』1998年、Vol.5、No.2、p34-37.

田坂裕司「対流の美しき世界」『ながれ』一般社団法人 日本流体力学会、2019年、Vol.38、No.4、p.300-305.

木村竜治「対流現象を理解するために」『天気』日本気象学会機関誌、1970年、Vol.17、No.5、p.45-48.

● Q-09

荒川 泓／著『4℃の謎　水の本質を探る』(北海道大学出版会、1991年)

● Q-11

西上いつき／著『電車を運転する技術』(SBクリエイティブ、2020年)

● Q-13

「先進空力計測技術トピックス」JAXA航空技術部門

http://www.aero.jaxa.jp/research/basic/aerodynamic/measurement/

Ed Regis, "No One Can Explain Why Planes Stay in the Air", SCIENTIFIC AMERICAN.

https://www.scientificamerican.com/article/no-one-can-explain-why-planes-stay-in-the-air/

E. レジス「飛行機はなぜ飛べるのか　いまだに残る揚力の謎」『日経サイエンス』2020年6月号、p.86-93.

山中浩之「『飛行機がなぜ飛ぶか』分からないって本当？」『日経ビジネスオンライン』

https://business.nikkei.com/atcl/seminar/19/00059/061400036/?P=1

Joseph R. Chambers, Cave of the Winds The Remarkable History of the Langley Full-Scale Wind Tunnel. NASA, 2014, 534p., ISBN 978-1-62683-016-5

● Q-14
中村寛治／著『カラー図解でわかるジェット旅客機の操縦』(SBクリエイティブ、2011年)

● Q-21
小沼 稔、柴田光義／編著『よくわかる半導体レーザー』(工業図書、1995年)

● Q-23
日本蜃気楼協議会／著『蜃気楼のすべて！』(草思社、2016年)

● Q-26
ニューガラスハンドブック編集委員会／編『ニューガラスハンドブック』(丸善、1991年)

● Q-38
Sarah Kaplan, The surprising science of why a curveball curves., 2016, July 12.
https://www.washingtonpost.com/news/speaking-of-science/wp/2016/07/12/the-surprising-science-of-why-a-curveball-curves/

Arthur Shapiro, Zhong-Lin Lu, Chang-Bing Huang, Emily Knight, Robert Ennis, Transitions between Central and Peripheral Vision Create Spatial/Temporal Distortions: A Hypothesis Concerning the Perceived Break of the Curveball., 2010, PLoS ONE, 5 (10). doi:10.1371/journal.pone.0013296

丸山祐一「マグヌス効果の物理的メカニズムについて」『日本航空宇宙学会論文集』2009年、Vol.57、No.667、p.309-316.

● Q-43
近藤純正「放射冷却−最低気温、結氷、夜露−」『天気』2011年、Vol.58、No.6、p.75-78.

近藤純正「2. 放射冷却と盆地冷却」『身近な気象』近藤純正ホームページ

http://www.asahi-net.or.jp/~rk7j-kndu/kisho/kisho02.html

上山篤史「第4章 熱の基礎 (3)：4.4.3 輻射」『流体解析の基礎講座　第11回』

https://www.cradle.co.jp/media/column/a296

What is Radiation Cooling?

https://www.hko.gov.hk/en/education/weather/meteorology-basics/00004-what-is-radiation-cooling.html

索引

執筆者（五十音順）

● 池田圭一（いけだ・けいいち）
フリーランスエディター・ライター
Q-17、Q-24、Q-37、Q-53

● 稲田佳彦（いなだ・よしひこ）
岡山大学教授、博士（理学）
Q-16、Q-21、Q-26、Q-27

● 井上貫之（いのうえ・かんじ）
理科教育コンサルタント
Q-02、Q-20、Q-22、Q-35

● 大西光代（おおにし・みつよ）
サイエンスライター、博士（水産学）
Q-04、Q-13、Q-38、Q-43

● 坂元 新（さかもと・あらた）
埼玉県越谷市立大袋中学校教諭
Q-32、Q-39、Q-51

● 左巻健男（さまき・たけお）
東京大学講師、元法政大学教授
Q-07、Q-08、Q-09、Q-11、Q-12、
Q-14、Q-31、Q-33、Q-40、Q-44、
Q-48、Q-50、Fake1〜6

● シ（し）
暗黒通信団
Q-10、Q-28、Q-45

● 十河秀敏（そごう・ひでとし）
箕面自由学園教育顧問
Q-01、Q-06、Q-29

● 仲島浩紀（なかじま・ひろき）
帝塚山中学校・高等学校教諭
Q-05、Q-30、Q-47

● 夏目雄平（なつめ・ゆうへい）
千葉大学名誉教授（理学系物理）
Q-03、Q-23、Q-36

● 舩田 優（ふなだ・まさる）
元・千葉県立船橋高校教諭
Q-18、Q-19、Q-46

● 横内 正（よこうち・ただし）
長野県松本市立波田中学校教諭
Q-15、Q-34、Q-41、Q-52

● 和田重雄（わだ・しげお）
日本薬科大学教授、博士（理学）
Q-25、Q-42、Q-49

※番号は執筆担当項目
※肩書は原稿執筆時点のもの

左巻健男

1949年、栃木県生まれ。千葉大学教育学部卒。東京学芸大学大学院教育学研究科修了(物理化学講座)。元・同志社女子大学教授、元・法政大学教授、東京大学講師。著書は『大人のやりなおし中学物理』『大人のやりなおし中学化学』『大人のやりなおし中学生物』『大人のやりなおし中学地学』『図解・化学「超」入門』『大人が知っておきたい物理の常識』『知っていると安心できる成分表示の知識』『知っておきたい化学物質の常識84』(サイエンス・アイ新書)、『面白くて眠れなくなる物理』『面白くて眠れなくなる元素』(PHP研究所)、『身近にあふれる「科学」が3時間でわかる本』(明日香出版社)、『暮らしの中のニセ科学』(平凡社)など多数。

本文デザイン、組版：クニメディア株式会社
校正：曽根信寿
イラスト：伊藤ハムスター、クニメディア株式会社

身近な科学が
人に教えられるほど
よくわかる本

2020年11月25日　初版第1刷発行

編 著 者	左巻健男
発 行 者	小川　淳
発 行 所	SBクリエイティブ株式会社 〒106-0032　東京都港区六本木2-4-5 営業03（5549）1201
装　　幀	渡辺　縁
編　　集	石井顕一（SBクリエイティブ）
印刷・製本	株式会社シナノ パブリッシング プレス

本書をお読みになったご意見・ご感想を、
下記URL、右記QRコードよりお寄せください。
https://isbn2.sbcr.jp/06671/